Przedstawiamy...

Charlie Bucket

Augustus Gloop

pan Willy Wonka

Veruca Salt

Mike Teavee

Violet Beauregarde

Umpa-Lumpy

ROALD

i fabryka czekolady

Tłumaczył Jerzy Łoziński

Ilustrował Quentin Blake

ZYSK I S-KA
WYDAWNICTWO

Więcej informacji
o Roaldzie Dahlu
znajdziesz na stronie
www.roalddahl.com

Tytuł oryginału
Charlie and the Chocolate Factory

Redaktor
Hanna Koźmińska

Wydanie I

ISBN 83-7298-837-4

Zysk i S-ka Wydawnictwo
ul. Wielka 10, 61-774 Poznań
tel. (0-61) 853 27 51, 853 27 67, fax 852 63 26
Dział handlowy, tel./fax (0-61) 855 06 90
sklep@zysk.com.pl
www.zysk.com.pl

Druk i oprawa: ABEDIK Poznań

Dla Theo

W książce występuje pięcioro dzieci:

AUGUSTUS GLOOP
łakomczuch

VERUCA SALT
dziewczynka rozpuszczona przez rodziców

VIOLET BEAUREGARDE
dziewczynka przez cały dzień żująca gumę

MIKE TEAVEE
chłopiec, który nieustannie ogląda telewizję

oraz
CHARLIE BUCKET
nasz bohater

1. Pojawia się Charlie

Tych dwoje staruszków to ojciec i matka pana Bucketa: dziadek Joe i babcia Josephine.

A t y c h dwoje staruszków to ojciec i matka pani Bucket: dziadek George i babcia Georgina.

Oto pan Bucket. A to pani Bucket.

Państwo Bucket mają synka, który nazywa się Charlie Bucket.

A oto i sam Charlie.

Hej!

Heja!

Hejka!

Charlie bardzo się cieszy, że was poznał.

Cała rodzina — sześcioro dorosłych (jeśli chcecie, sami policzcie) i mały Charlie Bucket — mieszka w niedużym domku na skraju wielkiego miasta.

Domek był zdecydowanie za mały dla tylu osób i wszystkim mieszkało się w nim bardzo niewygodnie. Były tam tylko dwa pokoje i tylko jedno łóżko. Łóżko odstąpiono czworgu dziadków, tacy byli starzy i zmęczeni. Tak zmęczeni, że w ogóle z niego nie wstawali.

Dziadek Joe i babcia Josephine zajęli jedną stronę, a dziadek George i babcia Georgina — drugą.

Państwo Bucketowie oraz Charlie spali w drugim pokoju na materacach.

W lecie nic było to takie złe, ale w zimie po podłodze hulały zimne wiatry i spało się okropnie.

W ogóle nic było mowy, żeby sobie mogli kupić lepszy dom czy chociażby jeszcze jedno łóżko — byli na to za biedni.

Z całej rodziny pracował tylko pan Bucket. W fabryce pasty do zębów siedział przy taśmie i umieszczał nakrętki na napełnionych wcześniej tubkach. Takie osoby nigdy jednak nie dostają dużej pensji, nawet więc gdy pan Bucket się wytężał, nawet gdy umieszczał nakrętki najszybciej jak potrafił, i tak nigdy nie starczało pieniędzy, żeby kupić choć połowę rzeczy potrzebnych dla tak dużej rodziny. Albo przynajmniej porządne jedzenie. Jedyne, na co mogli sobie pozwolić, to chleb z margaryną na śniadanie, gotowane ziemniaki i kapusta na obiad, a kapuśniak na kolację. W niedzielę było odrobinę lepiej i wszyscy niecierpliwie jej wyczekiwali — chociaż bowiem potrawy były takie same, to każdy mógł dostać dokładkę.

Bucketowie nie umierali, rzecz jasna, z głodu, wszyscy jednak — obaj dziadkowie, obie babcie, ojciec Charliego, mama Charliego, a zwłaszcza sam Charlie — od rana do wieczora czuli ssanie w żołądkach.

Charlie znosił to najgorzej. I chociaż ojciec i matka często rezygnowali z obiadu czy kolacji, oddając je synkowi, i tak nie wystarczało to rosnącemu chłopcu. Ciągle myślał o czymś bardziej sycącym niż kapusta i kapuśniak, a najbardziej ze wszystkiego marzył o... CZEKOLADZIE.

Idąc rano do szkoły, Charlie widział piętrzące się na wystawie sklepowej wielkie bloki czekolady; zatrzymywał się wtedy i przyciskając nos do szyby, gapił się na nie, a w ustach zbierała mu się ślina. W ciągu dnia nie raz i nie dwa koledzy w szkole wyciągali z kieszeni czekoladowe batoniki i zjadali je ze smakiem, co dla niego było, wierzcie mi, p r a w d z i w ą torturą.

Charlie Bucket tylko raz do roku — w swoje urodziny — mógł posmakować czekolady. Cała rodzina oszczędzała na ten wyjątkowy dzień, gdy Charlie otrzymywał w prezencie niewielką czekoladkę, która w całości była tylko dla niego. Każdego z tych wspaniałych urodzinowych poranków umieszczał prezent w małej drewnianej skrzyneczce z takim namaszczeniem, jak gdyby był to kawałek złota, i przez kilka następnych dni tylko mu się przyglądał, nawet nie dotykając. Kiedy w końcu już nie mógł się powstrzymać, odwijał k a w a ł e c z e k opakowania, które odsłaniało k aw a ł e c z e k czekoladki, a Charlie brał tylko m a-c i u p e ń k i okruszek, aby poczuć, jak powoli rozpływa się na języku wspaniała słodycz. Następnego dnia brał kolejny okruszek i tak dalej, a w ten sposób czekoladka starczała mu na więcej niż miesiąc.

Nie powiedziałem wam jednak jeszcze, co stanowiło dla Charliego torturę większą niż c o k o l-w i e k innego, większą niż widok bloków czekolad w witrynie czy batoników w rękach kolegów. Była to dla niego tortura większa, niż możecie sobie wyobrazić, a chodziło o to, że w pobliżu, widoczna z okien jego domu, znajdowała się OGROMNA FABRYKA CZEKOLADY!

Tylko sobie wyobraźcie!

Zresztą „ogromna" to za mało powiedziane. Była to największa i najsławniejsza na całym świecie fabryka! Była to FABRYKA WONKI. Jej właściciel, Willy Wonka, był największym w dziejach producentem czekolady. Jakież to było wspaniałe, a zarazem tajemnicze miejsce! Wejścia bronił wysoki mur z żelazną bramą, z wysokich kominów buchał dym, a gdzieś ze środka dochodziły dziwne piski i gwizdy. Na dobre pół mili dookoła fabryki wisiał w powietrzu ciężki, gęsty zapach roztopionej czekolady!

Dwa razy dziennie, w drodze do i ze szkoły, Charlie Bucket musiał przechodzić obok bramy fabryki. A kiedy przechodził, zwalniał kroku, wysoko zadzierał nos i głęboko się zaciągał cudownym aromatem.

Ach, cóż to była za czarowna woń!

Ach, i jakże Charlie pragnął zobaczyć, jak wygląda wnętrze fabryki!

2. Fabryka pana Willy'ego Wonki

Wieczorami, po kolacji złożonej z kapuśniaku, Charlie zawsze szedł do pokoju swoich dziadków, aby najpierw posłuchać ich opowieści, a potem życzyć im dobrej nocy.

Każde z czworga staruszków miało ponad dziewięćdziesiąt lat. Byli tak pomarszczeni jak suszone śliwki, tak kościści jak szkielety, i całymi dniami leżeli w łóżku — każda para po swojej stronie — z nocnymi czepkami na głowach, aby nie marznąć, a ponieważ nie mieli nic do roboty, więc tylko sobie podrzemywali. Ledwie jednak usłyszeli, jak otwierają się drzwi, staje w nich Charlie i mówi: „Dobry wieczór, dziadku Joe i babciu Josephine, i dziadku George, i babciu Georgino", cała czwórka natychmiast siadała, ich twarze rozjaśniał uśmiech i... nadchodził czas opowieści. Wszyscy oni bardzo kochali chłopca. Był jedyną radością ich życia i niecierpliwie czekali na jego wieczorną wizytę. Czasami także mama i ojciec Charliego stawali za progiem i oparci o ścianę słuchali historyjek swoich rodziców, a wtedy na pół godziny pokój stawał się miejscem przytulnym i radosnym, a cała rodzina zapominała o głodzie i biedzie.

Któregoś wieczoru Charlie spytał:

— Czy to p r a w d a, że fabryka Wonki to największa wytwórnia czekolady na świecie?

— Czy to p r a w d a? — chórem powtórzyła czwórka dziadków. — Oczywiście, że tak! Też pytanie. Nie wiedziałeś? Jest p i ę ć d z i e s i ą t razy większa od następnej na liście.

— A pan Willy Wonka n a p r a w d ę jest najlepszym producentem czekolady na świecie?

— K o c h a n y chłopcze! — rzekł dziadek Joe i uniósł się nieco na poduszce. — Pan Willy Wonka jest najbardziej z a c h w y c a j ą c y m, najbardziej f a n t a s t y c z n y m, najbardziej n i e z w y k ł y m producentem czekolady, jakiego świat kiedykolwiek widział! Byłem pewien, że o tym w s z y s c y wiedzą!

— Wiem, dziadku Joe, że jest znany, wiem, że jest pomysłowy...

— P o m y s ł o w y! — nie dał mu dokończyć dziadek. — W dziedzinie czekolady to prawdziwy c z a r o d z i e j! Jest w stanie zrobić z czekolady w s z y s t k o, co zechce. Mam rację, moi drodzy?

Cała pozostała trójka wolno pokiwała głowami i potwierdziła:

— Masz n a j z u p e ł n i e j s z ą rację!

— Ale, ale... — ciągnął dziadek Joe. — Czyżbym ci nigdy nic nie o p o w i a d a ł o panu Willym Wonce i jego fabryce?

— Nigdy — odparł Charlie.

— Wielkie nieba! Jak to możliwe? Co się ze mną dzieje?

— A nie mógłbyś opowiedzieć mi teraz, dziadku Joe?

— Pewnie, że mógłbym. Siadaj tu, kochany, obok mnie, na brzegu łóżka, i słuchaj uważnie.

Dziadek Joe był najstarszy z całej czwórki. Pół roku temu skończył dziewięćdziesiąt sześć lat, a to wiek, który nieczęsto udaje się osiągnąć. Jak wszyscy bardzo wiekowi ludzie, był wątły i słaby, a przez cały dzień niewiele się odzywał. Kiedy jednak wieczorem przychodził Charlie, jego ukochany wnuk, można było pomyśleć, że dziadkowi Joe w jakiś cudowny sposób ubywało lat. Znikało gdzieś zmęczenie, stawał się ożywiony i pełen werwy jak młodzieniec.

— Ach, cóż to za człowiek ten pan Willy Wonka! — wykrzyknął dziadek Joe. — Czy wiesz na przykład, że sam wymyślił ponad dwieście nowych rodzajów czekoladek, każda z innym nadzieniem, a każda też słodsza i pyszniejsza od tych, które produkują w innych fabrykach?

— Święta racja! — dorzuciła babcia Josephine.

— A dostarcza je do w s z y s t k i c h zakątków świata, prawda, Joe?

— Prawda, moja kochana, prawda. Zamawiają u niego wszyscy królowie i prezydenci na całym świecie. Ale jest sławny nie tylko dzięki swoim czekoladkom. Och, mój drogi! On ma kilka naprawdę f a n t a s t y c z n y c h pomysłów w zanadrzu. Czy wiesz, że pan Willy Wonka wymyślił lody czekoladowe, które nie topią się, nawet jeśli kilka godzin poleżą poza lodówką? W skwarny dzień wytrzymają na słońcu aż do południa!

— Ale przecież t o n i e m o ż l i w e! — powiedział Charlie, patrząc z niedowierzaniem na dziadka.

— Oczywiście, że niemożliwe! — zgodził się tamten. — To kompletny a b s u r d, a jednak pan Willy Wonka stworzył takie lody!

— Tak, tak, a jakże — potwierdziło pozostałych troje dziadków, przytakując głowami. — Pan Wonka nie takie rzeczy potrafi.

— Pewnie! — Dziadek Joe mówił teraz wolniej, żeby Charlie nie stracił nawet słówka. — Pan Wonka potrafi robić pianki żelowe, które smakują jak fiołki, karmelki zmieniające kolor co dziesięć sekund podczas ssania, malutkie dropsy, które natychmiast się roztapiają, kiedy tylko położysz je na języku. Robi gumy do żucia, które w ogóle nie tracą smaku, a także słodkie balony, które rosną i rosną do niezwykłych rozmiarów, zanim wreszcie przekłujesz je szpilką. Ale jego największy sekret to wspaniałe, ciemno nakrapiane srocze jajka. Wkładasz je do ust, a one szybciutko maleją i maleją, aż nagle na końcu języka zostaje ci tylko malutkie różowe słodkie pisklątko. — Dziadek urwał i przesunął językiem po wargach. — Od samego o p o-w i a d a n i a ślinka cieknie mi do ust.

— Mnie także — zawtórował Charlie — ale b ł a g a m cię, dziadku, nie przerywaj!

Tymczasem jego rodzice nie wiadomo kiedy po cichutku wśliznęli się do pokoju i także z uwagą słuchali.

— Opowiedz Charliemu o tym zwariowanym księciu hinduskim — odezwała się babcia Josephine. — Na pewno chętnie tego posłucha.

— Chodzi ci o księcia Pondicherry'ego? — spytał dziadek Joe i zaczął radośnie chichotać.

— K o m p l e t n i e zwariowany! — mruknął dziadek George.

— Ale za to b a r d z o bogaty — dorzuciła babcia Georgina.

— A co on takiego zrobił? — niecierpliwił się Charlie.

— Tylko słuchaj, a zaraz się dowiesz — powiedział dziadek Joe.

3. Pan Wonka i hinduski książę

— Pewnego dnia książę Pondicherry napisał list do pana Willy'ego Wonki, pytając, czy ten nie przyjechałby do Indii, aby mu zbudować ogromny pałac, cały z czekolady.

— I co, dziadku, zbudował?

— A jakże, zbudował. I cóż to był za pałac! Sto pokoi, a w nich w s z y s t k o z białej albo ciemnej czekolady! Czekoladowe były cegły, czekoladowy cement między nimi, czekoladowe były okna, ściany i sufity były zrobione z czekolady, podobnie dywany, obrazy, meble i łóżka. Kiedy w łazience odkręciłeś kurki, z kranów płynęła gorąca czekolada. Skończywszy budowę, pan Wonka zwrócił się do księcia: „Uprzedzam waszą książęcą mość, że pałac długo nie postoi, dlatego najlepiej od razu zabrać się do jedzenia". „A cóż to znowu za bzdury pan wygaduje!", zawołał książę Pondicherry. „Też coś, zjadać własny pałac! Przecież nie będę nadgryzał schodów czy wylizywał ścian. Będę w nim m i e s z k a ł!" Ale oczywiście to pan Wonka miał rację. Wkrótce przyszedł bardzo gorący dzień, słońce piekło niemiłosiernie i cały pałac zaczął się topić, powoli rozlewając się po ziemi, a zwariowany książę, który smacznie drzemał w salonie, nagle zbudził się i zobaczył, że leży pośrodku gęstego, wielkiego jeziora z czekolady.

Charlie siedział na brzegu łóżka i nie spuszczał oczu z dziadka. Twarz mu promieniała, a oczy były wielkie jak spodki.

— Mówisz p r a w d ę, dziadku? — spytał przejęty. — Nie nabierasz mnie?

— Pewnie, że to prawda! — zawołała cała czwórka staruszków. — Najprawdziwsza prawda. Spytaj, kogo chcesz!

— Powiem ci coś jeszcze i to też jest szczera prawda. — Dziadek Joe nachylił się do Charliego i zniżył głos do szeptu. — N i k t... n i g d y... s t a m t ą d... n i e... w y c h o d z i!

— Skąd? — spytał Charlie.

— N i k t   t e ż... n i g d y... t a m... n i e... w c h o d z i!

— G d z i e? — zawołał Charlie.

— Mówię, rzecz jasna, o fabryce Wonki!

— N i e rozumiem, dziadku!

— Mam na myśli r o b o t n i k ó w.

— Robotników?

— We wszystkich fabrykach — szeptał dziadek Joe — widzisz, jak rano wpływa do nich strumień robotników, a wieczorem z nich wypływa. We wszystkich — tylko nie u Wonki! Powiedz s a m, czy widziałeś kiedykolwiek choćby jedną osobę, która wchodziłaby do środka albo wychodziła stamtąd?

Cztery pary oczu wpatrywały się uważnie w Charliego. Dziadkowie uśmiechali się przyjaźnie, ale byli też bardzo poważni. Widać było, że wcale nie żartują sobie z wnuka.

— No jak? — nalegał dziadek Joe. — W i d z i a ł e ś?

— Nie... nie wiem, dziadku — odrzekł niepewnie Charlie. — Zawsze, kiedy przechodzę koło fabryki, brama jest zamknięta.

— Otóż to! — wykrzyknął dziadek.

— No ale przecież jacyś ludzie m u s z ą tam pracować, bo inaczej...

— Nie l u d z i e, Charlie. A w każdym razie nie n o r m a l n i ludzie.

— To kto?! — wykrzyknął chłopiec.

— Hmmm... Widzisz... To następny dowód niezwykłości pana Wonki.

— Charlie, kochanie — odezwała się od drzwi pani Bucket. — Czas do łóżka. Na dzisiaj już wystarczy.

— Ale, mamo, ja m u s z ę...

— Dzisiaj już nie, jutro.

— Mama ma rację — powiedział dziadek Joe. — Resztę usłyszysz jutro wieczorem.

4. Tajemniczy robotnicy

Następnego wieczoru dziadek Joe ciągnął swoją opowieść.

— Trzeba ci wiedzieć, Charlie, że jeszcze nie tak dawno w fabryce pana Willy'ego Wonki pracowały tysiące ludzi. I nagle pewnego dnia pan Wonka kazał im wszystkim, c o d o j e d n e g o, iść do domu i nigdy już nie wracać.

— Ale dlaczego?

— Z powodu szpiegów.

— Szpiegów?

— Widzisz, wszyscy inni producenci czekolady byli zazdrośni, że pan Wonka robi takie wspaniałe słodycze, i zaczęli nasyłać szpiegów, żeby wykraść jego receptury. Ci szpiedzy zatrudniali się u pana Wonki, udając normalnych robotników, a pracując u niego, podpatrywali, na czym polegają sekrety jego smakołyków.

— A potem wracali do swoich fabryk i robili to samo? — domyślił się Charlie.

— Otóż to. Niedługo trwało, a fabryka Fickelgrubera wypuściła lody czekoladowe nie topniejące nawet w największym skwarze. Zaraz potem fabryka pana Prodnose'a zaczęła wytwarzać nie tracącą smaku gumę do żucia. Z kolei fabryka pana Slugwortha zaczęła wytwarzać słodkie balony, które mogą rosnąć i rosnąć do niezwykłych rozmiarów, zanim wreszcie przekłujesz je szpilką. I tak dalej, i tak dalej. A pan Willy Wonka szarpał swoją brodę i rozpaczał: „To okropne! Zrujnują mnie! Wszędzie sami szpiedzy! Będę musiał zamknąć fabrykę!"

— Ale nie zamknął! — stwierdził Charlie.

— Zamknął. Powiedział robotnikom, że bardzo mu przykro, ale w s z y s t k i c h zwalnia i muszą iść do domów. A potem zamknął za nimi bramę na ciężki łańcuch. Znienacka wielka fabryka czekolady ucichła i opustoszała. Kominy przestały dymić, maszyny przestały warczeć, nie robiono już żadnej czekolady i żadnych cukierków, nikt nie wchodził do środka ani nie wychodził. Nawet sam pan Willy Wonka zniknął bez śladu. Mijały miesiące — ciągnął dziadek Joe — ale fabryka była zamknięta. Wszyscy mówili: „Biedny pan Willy

Wonka. Taki był sympatyczny i takie wspaniałe rzeczy robił. Szkoda, że tak skończył".

A potem zdarzyło się coś zdumiewającego. Pewnego dnia wczesnym rankiem nad kominami fabryki wzniosły się cienkie strużki dymu. Ludzie w mieście zatrzymywali się i pytali: „A to co? Ktoś rozpalił piece! Pan Wonka znowu otwiera fabrykę!" Kiedy jednak przybiegli, wcale nie zobaczyli otwartej bramy, a w niej pana Wonki czekającego na robotników. Nie, brama jak dawniej była zamknięta, zwisał z niej łańcuch, a właściciela nigdzie nie było widać. „Ale fabryka przecież pracuje", mówili ludzie. „Posłuchajcie, znowu słychać warkot maszyn! I znowu czuć zapach czekolady!"

Dziadek Joe nachylił się jeszcze bardziej i położył swój długi kościsty palec na kolanie wnuka.

— Ale najbardziej tajemnicze ze wszystkiego, Charlie, były cienie w oknach. Z ulicy ludzie widzieli, jak za szybami przesuwają się czarne cienie.

Charlie cały aż dygotał z podniecenia.

— Czyje cienie?

— Takie właśnie pytanie zadawali sobie wszyscy. „W środku pełno robotników, ale przecież nikt nie wchodzi!", szeptano. „Brama zamknięta na cztery spusty! To jakieś dziwy! I przecież nikt także nie wychodzi!" Jedno nie ulegało jednak wątpliwości — kontynuował dziadek Joe — a mianowicie, że fabryka pracuje na pełnych obrotach i tak to już trwa od dziesięciu lat. Co więcej, czekoladki i słodycze są jeszcze wspanialsze niż przedtem. Ale kiedy teraz pan Wonka dokonuje nowych wynalazków, nikt z jego konkurentów: ani pan Fickelgruber, ani pan Prodnose, ani pan Slugworth, ani nikt inny nie może go naśladować, gdyż zamknięta brama nie daje wstępu żadnym szpiegom.

— Ale k o g o, dziadku, k o g o pan Wonka zatrudnia w fabryce? — wykrztusił Charlie.

— Tego nikt nie wie, chłopcze.

— J a k to?! Nikt nie spytał pana Wonki?

— Już od dawna nikt go nie widział na oczy. Nigdy nie wychodzi na zewnątrz. Tylko każdego ranka przez specjalne drzwi wysuwają się paczki z czekoladami i cukierkami, ze znaczkami i już zaadresowane. Zabierają je furgony pocztowe.

— Dobrze, dziadku, ale k i m są ci robotnicy?

— Mój kochany, to jedna z największych tajemnic czekoladowego świata. Wiemy o nich tylko jedno: są bardzo mali. Małe cienie, które czasem widać w oknach, zwłaszcza późno, kiedy w środku palą się światła, to cienie m a l e ń k i c h istot, sięgających mi najwyżej do kolan...

— Nie ma na świecie takich ludzi — stanowczo oświadczył Charlie.

W tej właśnie chwili do pokoju wszedł ojciec Charliego. Dopiero teraz wracał z fabryki pasty do zębów, ale widać było, że jest bardzo podekscytowany.

— Słyszeliście najnowszą wiadomość? — zawołał, a potem nie czekając na odpowiedź, tak rozpostarł trzymaną w ręku gazetę, że każdy mógł przeczytać wielki nagłówek. Oto on:

FABRYKA WONKI OTWARTA
PRZYNAJMNIEJ
DLA KILKU SZCZĘŚLIWCÓW

5. Złote Talony

— Czy to znaczy, że będzie można wejść do środka fabryki?! — wykrzyknął zaskoczony dziadek Joe. — Szybko, szybko czytaj, co tam jest dalej!

— Dobrze — odparł pan Bucket, rozkładając gazetę na kolanach. — Posłuchajcie.

Wiabomości Wieczorne

Pan Willy Wonka, którego nikt nie widział od dziesięciu lat, przekazał naszej gazecie następujący komunikat:

Ja, Willy Wonka, właściciel miejscowej fabryki czekolady, postanowiłem, że w tym roku pozwolę pięciorgu dzieci — tylko p i ę c i o r g u, żadnemu więcej — na obejrzenie mojej fabryki od środka. Tę szczęśliwą piątkę sam oprowadzę po całym zakładzie, niczego przed nią nie skrywając z sekretów produkcji. Na zakończenie wizyty każde z tych pięciorga dostanie prezent: tyle czekolad i słodyczy, aby starczyło im do końca życia! Dlatego szukajcie uważnie Złotych Talonów! Na złocistym papierze wydru-

kowano pięć Złotych Talonów, które zostaną umieszczone w opakowaniu pięciu czekolad. Mogą się one znaleźć w dowolnym sklepie dowolnego kraju, gdzie sprzedawane są moje produkty. Szczęśliwi znalazcy owych pięciu Złotych Talonów to właśnie ci, którzy jako jedyni będą mieli możliwość wejścia do mojej fabryki i zobaczenia, jak t e r a z ona wygląda. Powodzenia zatem! Uważnie oglądajcie każdy czekoladowy batonik!

Podpisano: Willy Wonka

— Następny wariat! — mruknęła babcia Josephine.

— Skądże znowu! Wspaniały człowiek! — entuzjazmował się dziadek Joe. — Mistrz nad mistrze! Tylko się zastanówcie, co się teraz będzie działo! Cały świat rzuci się na poszukiwanie pięciu Złotych Talonów, ludzie na wyścigi będą kupowali czekoladowe batoniki pana Wonki, w nadziei, że to do nich uśmiechnie się szczęście. Sprzeda ich tyle, ile nigdy dotąd! Ach, jak wspaniale byłoby znaleźć jeden taki talon!

— A potem za d a r m o jeść słodycze już do końca życia! — zauważył dziadek George.

— Będą musieli je dostarczyć kilkoma ciężarówkami, wyładowanymi po sam dach! — zapiszczała babcia Georgina.

— Słabo mi się robi na samą myśl — oznajmiła babcia Josephine.

— A tam, słabo! — obruszył się dziadek Joe. —

No powiedz, Charlie. To byłoby c o ś: odpakować czekoladkę, a w środku oprócz niej zobaczyć jeszcze Złoty Talon!

— Pewnie, dziadku, ale szanse są takie małe — odrzekł chłopiec ze smutkiem. — Przecież dostaję tylko jedną na rok.

— Właśnie ta jedna może być szczęśliwa — zauważyła babcia Georgina. — A twoje urodziny są w przyszłym tygodniu. Szanse masz takie same jak wszyscy inni.

— To nie takie proste — zaoponował dziadek George. — Złote Talony znajdą te dzieci, które mogą sobie pozwolić na kilka, czy nawet kilkanaście czekolad dziennie. A Charlie zjada tylko jedną w roku. Nie ma co się łudzić.

6. Dwoje pierwszych szczęśliwców

Pierwszy Złoty Talon znaleziono już nazajutrz. Szczęśliwcem okazał się Augustus Gloop, a „Wiadomości Wieczorne" pokazały na pierwszej stronie jego wielką fotografię. Widać na niej było dziewięcioletniego chłopca, tak grubego jakby go napompowano. Nad spodniami wylewały się wielkie fałdy tłuszczu, a twarz przypominała monstrualny pączek, w który jak rodzynki wciśnięto dwoje łapczywych oczu. Gazeta informowała, że Augustus Gloop w jednej chwili stał się bohaterem miejscowości, w której mieszkał. Ze wszystkich okien wywieszono flagi, w szkołach ogłoszono dzień wolny od lekcji, podczas którego chciano zorganizować wielką paradę na cześć Augustusa.

„Byłam p e w n a, że to Augustus zdobędzie jedną z wygranych", powiedziała gazecie jego matka. „Zjada t y l e czekoladek dziennie, że było wprost n i e - m o ż l i w e, aby n i e trafił na Złoty Talon. Jedzenie to jego hobby. Tylko o n o naprawdę go interesuje, ale to przecież lepiej, niż być c h u l i g a n e m i strzelać, na przykład, z p r o c y ludziom w okna, prawda? A poza tym, ciągle powtarzam, czy jadłby tyle, gdyby jego organizm tego n i e p o t r z e b o - w a ł? W końcu to wszystko są w i t a m i n y. Jakimż wspaniałym w y d a r z e n i e m będzie dla nie-

go wizyta w fabryce pana Wonki! Tacy jesteśmy
d u m n i!"

— Co za obrzydliwy babsztyl! — mruknęła babcia Josephine.

— I co za wstrętny bachor! — dorzuciła babcia
Georgina.

— No to zostały już tylko cztery Złote Talony.

Ciekawe, kto j e dostanie — powiedział dziadek George.

Tymczasem cały kraj, a na dobrą sprawę — cały świat, wpadł w szał kupowania na potęgę czekolady, a wszyscy z wypiekami na twarzy rozrywali opakowania i szukali talonów. Widziano, jak szacowne damy wpadały do sklepu, kupowały dziesięć batoników pana Wonki, a potem natychmiast rozwijały je jeden po drugim, w nadziei, że zobaczą złocisty błysk. Dzieci chwytały za młotki, rozbijały skarbonki i z rękami pełnymi drobniaków gnały do sklepów. Słynny gangster zrabował w największym w mieście banku tysiące funtów, które jeszcze tego samego dnia wydał na czekoladki pana Wonki. Kiedy policjanci wtargnęli do jego mieszkania, siedział pośród stosów batoników, które jeden po drugim pozbawiał opakowania ostrzem długiego noża. Z odległej Rosji nadeszła wiadomość, że drugi talon znalazła niejaka Charlotte Russe, ale okazało się, że to tylko sprytna podróbka. Słynny naukowiec angielski, profesor Foulbody, naprędce skonstruował maszynę, która bez zaglądania do środka pozwalała stwierdzić, czy pod papierkiem kryje się Złoty Talon czy też nie. Maszyna była uzbrojona w potężne mechaniczne ramię, które chwytało wszystko, co miało w sobie chociażby najmniejszą odrobinkę złota, wydawało się więc, że bezbłędnie rozwiąże zagadkę. Na nieszczęście jednak, kiedy profesor demonstrował swe urządzenie w wielkiej cukierni, mechaniczne ramię bezceremonialnie zaczęło się dobierać do złotego zęba stojącej obok księżniczki. Ta obrzydliwa scena tak rozsierdziła tłum, że na miejscu zniszczono mechanizm.

W przeddzień urodzin Charliego Bucketa gazety doniosły, że znaleziono drugi Złoty Talon. Poszczęściło się dziewczynce nazwiskiem Veruca Salt, która wraz z bardzo bogatymi rodzicami mieszkała w dalekim mieście. I znowu w „Wiadomościach Wieczornych", które przyniósł ojciec Charliego, widniało wielkie zdjęcie. Veruca Salt siedziała w salonie między rozpromienionymi rodzicami i uśmiechnięta od ucha do ucha powiewała nad głową Złotym Talonem.

Pan Salt, ojciec Veruki, z chęcią opowiedział, jak doszło do szczęśliwego zdarzenia.

„Jak tylko moja ukochana córeczka powiedziała, że m u s i mieć to cudo, ruszyłem na miasto i zacząłem kupować wszystkie czekolady pana Wonki, jakie tylko wpadły mi w ręce. Musiałem ich nabyć t y s i ą c e, s e t k i tysięcy! A potem wszystkie kazałem załadować na ciężarówki i wieźć prosto do mojej fabryki. Zajmuję się orzeszkami, więc mam u siebie z setkę kobiet, które tylko rozłupują orzeszki, żeby je potem prażyć i solić. Nic innego nie robią przez cały dzień, tylko łupią i łupią. »Posłuchajcie, moje kochane«, mówię im. »Na razie dajemy sobie spokój z orzeszkami, bo zabieracie się do odpakowywania czekoladek«. No i wszystkie zajęły się tylko tym, od rana do nocy zrywając papierki z batoników.

Ale minęły trzy dni, a tu nic! To było okropne. Moja Veruca była coraz bardziej zagniewana; jak tylko stawałem w drzwiach, zaraz rzucała się na mnie z krzykiem: »G d z i e m ó j Z ł o t y T a l o n?! C h c ę mój Złoty Talon!« A potem całymi godzinami leżała na podłodze, waląc w nią nóżkami i piąstkami. Nie mogłem patrzyć, jak moja dziewczynka tak się dręczy, więc poprzysiągłem sobie, że nie spocznę, póki nie dopadnę tego złotka. I wreszcie... wieczorem czwartego dnia jedna z tych moich kobiet woła: »Mam, mam Złoty Talon!« »Dawać mi go prędko!«, krzyczę, wyrywam talon i gnam do domu, żeby oddać mojej kochanej Veruce, która — jak sami widzicie — cała jest teraz w uśmiechach, a do naszego domu znowu powróciło szczęście”.

— Ta jest nawet gorsza od tego grubasa — orzekła babcia Josephine.

— Przydałoby jej się dobre lanie — dodała babcia Georgina.

— Jej ojciec nie zachował się całkiem fair, prawda, dziadku? — szepnął Charlie.

— Rozpuszcza ją — powiedział dziadek Joe — a z rozpuszczonych dzieci nie wyrasta nic dobrego. Zapamiętaj sobie moje słowa, Charlie.

— A teraz już do łóżka, kochanie — odezwała się mama. — Pamiętaj, że jutro twoje urodziny, więc zerwiesz się pewnie skoro świt, żeby rozpakować swój prezent.

— Batonik Wonki! — wykrzyknął Charlie. — To będzie batonik Wonki, prawda?

— Tak, kochanie. Tym razem nie mogłoby być nic innego.

— Czy nie byłoby wspaniale, gdybym znalazł w środku trzeci Złoty Talon? — spytał Charlie.

— Najlepiej przyjdź tutaj ze swoim prezentem, żebyśmy wszyscy mogli patrzyć, jak go rozwijasz — powiedział dziadek Joe.

7. Urodziny Charliego

— Wszystkiego najlepszego! — wykrzyknęli wszyscy czworo dziadkowie, kiedy Charlie nazajutrz już wczesnym rankiem zjawił się w ich pokoju.

Chłopiec uśmiechnął się nerwowo i przysiadł na brzegu łóżka. W obu rękach pieczołowicie trzymał prezent, swój jedyny prezent urodzinowy. Naklejka głosiła: KARMELKOWO-MIODOWA CZEKOLADKA WONKI.

Czworo staruszków, po dwoje z każdej strony łóżka, poprawiło się niecierpliwie na poduszkach i wpatrzyło w smakołyk. Także rodzice stanęli zaraz za progiem i przypatrywali się swojemu synowi.

W pokoju było cicho jak makiem zasiał. Wszyscy czekali, aż Charlie zacznie odpakowywać swój prezent. On wpatrywał się przez chwilę w tabliczkę czekolady, potem delikatnie przeciągnął po niej palcami, a kolorowy celofan lekko zaszeleścił, co zabrzmiało jak głośny okrzyk.

— Pamiętaj, żebyś nie czuł się rozczarowany — łagodnie powiedziała pani Bucket — jak pod spodem znajdziesz tylko czekoladkę. Ona sama jest pyszna, lepiej nie oczekiwać niczego więcej.

— Mama ma rację — rzekł poważnie ojciec.

Charlie milczał.

— Przecież na całym wielkim świecie — dorzuciła babcia Josephine — już tylko trzy talony zostały do znalezienia.

— Cokolwiek się stanie, czekoladki nikt ci już nie zabierze — odezwała się babcia Georgina.

— I to jakiej! — powiedział dziadek George, podnosząc w górę palec. — Karmelkowo-miodowej! Jest najlepsza ze wszystkich! Będziesz nią z a c h w y c o n y!

— Tak, wiem — szepnął Charlie.

— Zapomnij lepiej o tym Złotym Talonie — poradził dziadek Joe — i ciesz się czekoladą i tym, jaka jest smaczna.

Wszyscy dobrze wiedzieli, jak śmiesznie byłoby oczekiwać, że właśnie w tym jednym opakowaniu znajdzie się wspaniały talon, i jak najłagodniej chcieli przygotować Charliego na rozczarowanie. Ale wiedzieli jeszcze coś — nawet zupełnie m a l u t k a szansa jest jednak s z a n s ą.

I pod tym względem czekolada Charliego nie była gorsza od żadnej innej.

Z tego powodu i wszyscy dziadkowie, i rodzice czuli napięcie nie mniejsze niż Charlie, chociaż udawali spokój i obojętność.

— No, otwórz wreszcie, bo inaczej spóźnisz się do szkoły — upomniał chłopca dziadek Joe.

— Będziemy to wreszcie mieli za sobą — odezwał się dziadek George.

— No, otwórz, kochanie — powiedziała babcia Georgina. — Sama zaczynam się trochę denerwować.

Charlie powolutku odwinął jeden brzeżek.

41

Wszyscy staruszkowie nachylili się i wyciągnęli pomarszczone szyje.

Wtedy Charlie jednym gwałtownym ruchem, jak gdyby nie mógł już znieść emocji, rozdarł papier i... na kolana spadł mu... jasnobrązowy kawałek czekolady.

Nie było ani śladu Złotego Talonu.

— No i właśnie! — wesoło zawołał dziadek Joe. — Tak jak przypuszczaliśmy!

Charlie podniósł wzrok. Z łóżka spoglądały na niego uważnie cztery pary oczu. Zmusił się do niewyraźnego, smutnego uśmiechu, wzruszył ramionami, a potem rękę z czekoladą wyciągnął do matki.

— Proszę, mamo, spróbuj. Podzielimy czekoladę na siedem równych części, żeby każdy mógł skosztować.

— O nie, nie ma mowy! — sprzeciwiła się matka, a pozostali zawtórowali jej:

— Nie, przenigdy. Nawet o tym nie myśl! To t w ó j prezent!

— P r o s z ę! — nastawał Charlie, wyciągając rękę kolejno do każdego z dziadków, ale nikt nie chciał się poczęstować nawet okruszkiem.

— Czas już do szkoły, kochanie — przypomniała wreszcie pani Bucket i objęła Charliego ramieniem. — Chodź, nie możesz się spóźnić.

8. Znalezione następne dwa talony

Gazeta przyniesiona wieczorem przez pana Bucketa obwieściła, że znaleziono nie tylko trzeci, ale i czwarty Złoty Talon. DZIŚ ZNALEZIONO NASTĘPNE DWA ZŁOTE TALONY! — krzyczał nagłówek. POZOSTAŁ JUŻ TYLKO JEDEN!

— No dobrze — powiedział dziadek Joe, kiedy cała rodzina zgromadziła się w pokoju dziadków. — Zobaczmy, komu to się tak poszczęściło.

„Trzeci talon", zaczął czytać pan Bucket, przysuwając gazetę blisko oczu, gdyż wzrok stale mu się pogarszał, a nie mógł sobie pozwolić na okulary, „znalazła panna Violet Beauregarde. W domu państwa Beauregarde panowało wielkie zamieszanie, gdy dotarł tam nasz reporter, aby przeprowadzić wywiad ze szczęśliwą znalazczynią. Słychać było pstrykanie aparatów fotograficznych, błyskały flesze, ludzie przepychali się, aby tylko znaleźć się jak najbliżej młodej damy, która stała na krześle pośrodku salonu i powiewała nad głową Złotym Talonem, jak gdyby przyzywała taksówkę. Mówiła bardzo szybko i bardzo głośno, ale niełatwo było ją zrozumieć, gdyż jednocześnie z zapałem żuła gumę. »Normalnie to nic, tylko żuję gumę«, oznajmiła, »ale jak usłyszałam o panu Wonce, przerzuciłam się na czekolady, w nadziei, że znajdę to cudo. T e r a z, co nie, znowu wróciłam do gumy, bo

ja po prostu u w i e l b i a m gumę, nie mogę bez
niej wytrzymać. Żuję ją przez cały dzień i tylko
podczas jedzenia wyjmuję na kilka minut i przyle-
piam sobie za uchem. Jeśli mam być szczera,
czułabym się po prostu s t r a s z n i e, gdybym nie
miała przez cały czas kawałka gumy. Naprawdę,
o k r o p n i e! Mama mówi, że damie to nie wypada,
a dziewczynka przez cały czas poruszająca szczękami wygląda obrzydliwie, ale ja się z nią nie zga-
dzam. A zresztą, z jakiej niby racji tak się mnie
czepia? Powiem wam, że to j e j szczęki poruszają

się na okrągło, a to od tego jej ciągłego wrzesz-
czenia na mnie«.

»Violet, tak nie można«, zaprotestowała pani
Beauregarde z rogu pokoju, gdzie schroniła się za
pianinem, aby jej tłum nie zadeptał.

»Nie wtrącaj się, matka!«, krzyknęła panna Beauregarde i ciągnęła: »Mam nadzieję, że was to za-
interesuje, że kawałek gumy, który mam teraz
w ustach, żuję już od trzech miesięcy! To rekord! Pokonałam w ten sposób moją najlepszą
przyjaciółkę Cornelię Prinzmetel. Ale była wściekła!
To teraz najcenniejsza dla mnie rzecz, ten kawałek
gumy. Jak kładę się spać, to go przyklejam do
spodu łóżka, a rano jest pyszny jak zawsze — trochę twardy na początku, ale zaraz mięknie, jak mu
dam kilka dobrych przygryzów. Zanim postano-
wiłam pobić rekord, zmieniałam gumę codziennie,
a robiłam to w windzie, idąc ze szkoły. A dlaczego
w windzie? Bo stary kawałek lubiłam naklejać na
guziki, no i wtedy następna osoba przyklejała się
do mojej gumy. Ha, ha, ha! A ile czasami było przy
tym wrzasku. Najlepsze są te wszystkie paniusie
w drogich rękawiczkach. A tak w ogóle to bardzo
chcę zobaczyć tę fabrykę pana Wonki, bo potem to
mi się zdaje, że ma dać tyle gumy, żeby starczyło
do końca życia. Hip, hip, hurrra!«"

— Wstrętna dziewczyna! — orzekła babcia
Josephine.

— Obrzydliwa! — zgodziła się babcia Georgina.

— Cała się kiedyś sklei od środka od tego żucia,
zobaczycie!

— A kto znalazł czwarty Złoty Talon? — spytał Charlie.

— Zaraz, zaraz. — Pan Bucket wodził nosem po gazecie. — Ach tak, czwartym szczęśliwcem jest Mike Teavee.

— Pewnie też jakiś wstręciuch — mruknęła babcia Josephine.

— Babciu, nie przeszkadzaj — powiedziała pani Bucket.

„Kiedy nasz reporter dotarł do domu państwa Teavee, było tam równie tłoczno jak u pozostałych. Mike Teavee, siedział przed telewizorem, ale wyda-

wał się bardzo poirytowany otaczającym go tłumem. »Nie widzicie, durnie, że oglądam telewizję?«, powiedział ze złością. »Nie życzę sobie, żeby mi przeszkadzano!«

Dziewięcioletni chłopiec siedział wpatrzony w ekran wielkiego telewizora i oglądał film, na którym dwa gangi ostrzeliwały się z pistoletów maszynowych. Sam Mike miał u pasa kilkanaście pistoletów-zabawek różnej wielkości i co jakiś czas podskakiwał na fotelu, wyrywał jedną ze swych broni i strzelał z niej do ekranu.

»Cicho!«, wrzasnął, kiedy ktoś usiłował go o coś zapytać. »Przecież m ó w i ł e m, żeby mi nie przeszkadzać! To bombowy film! Ekstra! Oglądam je codziennie, nawet te marne, bez strzelania, ale najbardziej lubię gangsterskie kawałki! Te są dopiero ekstra! Jak się faszerują ołowiem, rzucają nożami albo naparzają szpadrynami! Kurczę, ile bym dał, żeby samemu robić coś takiego! To jest dopiero ż y c i e! Ekstra!«"

— Wystarczy! — straciła cierpliwość babcia Josephine. — Nie mogę tego słuchać!

— Ani ja — przyłączyła się babcia Georgina. — Czy dzisiaj w s z y s t k i e dzieci są takie jak te bachory?

— Oczywiście, że nie — zapewniła ją z uśmiechem pani Bucket. — Niektóre są takie, może nawet wiele, ale nie w s z y s t k i e.

— No i teraz został już tylko j e d e n t a l o n! — zauważył dziadek George.

— Ano tak — prychnęła babcia Georgina. —

A że znajdzie go jakiś inny nie zasługujący na to bękart, jest tak samo pewne jak fakt, że jutro na kolację będę miała kapuśniak!

9. Dziadek Joe ryzykuje

Kiedy następnego dnia Charlie wrócił ze szkoły i zajrzał do dziadków, zobaczył, że tylko dziadek Joe nie śpi, a pozostała trójka smacznie pochrapuje.

— Cicho! — szepnął dziadek i dał znak Charliemu, żeby się zbliżył.

Chłopiec podszedł do łóżka na palcach i czekał, podczas gdy starzec z chytrym uśmiechem zaczął jedną ręką szukać czegoś pod poduszką, aż wreszcie wyciągnął starą skórzaną portmonetkę. Pod osłoną kołdry otworzył portmonetkę i odwrócił dnem do góry, a na jego dłoń wyleciała srebrna sześciopensówka.

— To mój tajemny skarb — oznajmił półgłosem. — Reszta nic o nim nie wie. My dwaj spróbujemy jeszcze raz. A może jednak znajdziemy ten Złoty Talon? Co ty na to? Tyle że będziesz musiał mi pomóc.

— N a p e w n o chcesz, dziadku, wydać te pieniądze w ten sposób? — wyszeptał Charlie.

— Oczywiście, też mi pytanie! — obruszył się dziadek. — Nie trać czasu na gadaninę, przecież ja też chciałbym, żebyś znalazł ten talon. No już, bierz pieniądze, biegnij do najbliższego sklepu, kup pierwszy batonik pana Wonki, jaki ci wpadnie w oko, i czym prędzej wracaj tutaj, to razem go otworzymy.

Charlie chwycił srebrną monetę, wymknął się z pokoju i już po pięciu minutach był z powrotem.

— Masz? — szeptem spytał dziadek Joe, a oczy lśniły mu z podniecenia.

Wnuk pokiwał głową i pokazał na dłoni ORZECHOWĄ NIESPODZIANKĘ W CZEKOLADZIE WONKI.

— Świetnie — powiedział dziadek, poprawił się na łóżku i zatarł dłonie. — Siadaj tutaj blisko mnie i razem zobaczymy, co tam jest w środku. Gotów?

Charlie skwapliwie pokiwał głową.

— Tak, tak.

— Dobrze. To zaczynaj.

— Nie — sprzeciwił się chłopiec. — Ty zapłaciłeś, to ty otwórz.

Staruszek miał kłopoty z odpakowaniem czekoladki, tak mu się trzęsły ręce.

-- Nie mamy specjalnych nadziei, prawda? — szepnął i zachichotał nerwowo. — Żadnych wielkich nadziei, mam rację?

— Tak — odparł Charlie. — Wiem o tym.

Spojrzeli na siebie i teraz obaj nerwowo zachichotali.

— Szansa, że ten złocisty papierek będzie właśnie tutaj, jest tak m a ł a, że prawie jej nie ma.

— Tak, wiem, dziadku. Pewnie. Czemu nie otwierasz?

— Wszystko w swoim czasie, chłopcze. Wszystko w swoim czasie. Jak myślisz, od którego końca zacząć?

— Od tego dalszego. Ale oderwij tylko k a w a-ł e c z e k papierka, tak żeby nic jeszcze nie było widać.

— Taki?

— Tak. A teraz następny.

— Nie, ty dokończ. Ja jestem zbyt zdenerwowany.

— Nie, dziadku. Musisz otworzyć do końca.

— Dobrze. No to jazda!

I dziadek jednym szarpnięciem rozerwał opakowanie, pod którym ukazał się prostokątny kawałek czekolady ze sterczącymi z niego orzechami — ale nic więcej.

Obaj uznali to za bardzo zabawne i jednocześnie parsknęli śmiechem.

— Co? Co? Co się dzieje? — pytała zdezorientowana babcia Josephine, która poderwała głowę z poduszki.

— Nic takiego — uspokoił ją dziadek Joe. — Kładź się z powrotem spać.

10. Rodzina zaczyna głodować

W ciągu następnych dwóch tygodni bardzo się oziębiło. Najpierw pojawił się śnieg. Znienacka zaczął padać rano, kiedy Charlie Bucket właśnie ubierał się do szkoły. Stał przy oknie i zobaczył, jak ze stalowego nieba powoli osuwają się wielkie płatki. Do wieczora pokrywa śniegu wokół małego domu była już gruba na cztery stopy i pan Bucket musiał wykopać ścieżkę, żeby można było dojść do ulicy.

Po śniegu nastały mroźne wichury, wiejące bez przerwy całymi dniami. Jakież były zimne, mówię wam! Charliemu wydawało się, że wszystko, czego dotyka, zrobione jest z lodu, a kiedy wychodził z domu, pierwszy podmuch był jak cios sztyletem w policzek.

Do domu zimno dostawało się szczelinami w oknach oraz drzwiach i nie było gdzie się przed nim schronić. Czwórka staruszków leżała spokojnie pod kołdrą naciągniętą po same uszy i nie ruszała się, aby tracić jak najmniej ciepła. Dawno już przestali się entuzjazmować Złotym Talonem. Wszyscy w rodzinie myśleli teraz tylko o dwóch rzeczach: jak się ogrzać i co zjeść.

Jest coś takiego w mroźnej pogodzie, że dostajemy wtedy wilczego apetytu. Zaczynamy marzyć o wielkich dymiących stekach i gorących szarlotkach, a ponieważ większość z nas ma więcej szczęścia, niż podejrzewa, więc najczęściej dostajemy to, czego pragniemy, albo przynajmniej coś zbliżonego. Ale z Charliem Bucketem było inaczej; pieniędzy zawsze było za mało i wraz z nastaniem mrozów chłopiec był coraz bardziej głodny. Obie czekoladki — urodzinowa i kupiona za schowane przez dziadka Joe sześć pensów — dawno już zostały zjedzone okruszek po okruszku, a trzy razy dziennie dostawał tylko chudziutkie potrawy z kapusty. Zresztą i one nagle zrobiły się jeszcze mniejsze niż dawniej.

Przyczyną było to, że fabrykę pasty do zębów, gdzie pracował ojciec Charliego, trzeba było zamknąć z powodu pożaru. Pan Bucket natychmiast zaczął się rozglądać za inną pracą, ale nie miał szczęścia. W końcu tylko odgarniając śnieg na ulicach, mógł zarobić kilka pensów, ale to pozwalało kupić raptem jedną czwartą tego, czego było potrzeba na wyżywienie siedmioosobowej rodziny. Sytuacja stawała się rozpaczliwa. Śniadanie składało się teraz tylko z jednej kromki chleba dla każdego, a na obiad musiało wystarczyć pół gotowanego kartofla.

Jeszcze trochę i zaczną umierać z głodu.

A Charlie drepcząc do szkoły, musiał każdego dnia mijać wielką fabrykę czekolady pana Willy'ego Wonki. I każdego dnia zbliżając się do niej, unosił nos wysoko w powietrze i wciągał cudowny zapach topionej czekolady. Czasami zatrzymywał się na

kilka minut i głęboko wdychał do płuc powietrze pełne czekoladowego aromatu, jak gdyby mógł się w ten sposób n a j e ś ć.

— Ten chłopak — powiedział pewnego mroźnego poranka dziadek Joe, ledwie wychylając nos ponad kołdrę — m u s i więcej jeść. My się nie liczymy, jesteśmy za starzy, żeby się o nas martwić. Ale d o r a s t a j ą c y c h ł o p i e c! Tak być nie może! Jeszcze chwila i będzie wyglądał jak chodzący szkielet!

— A co można z r o b i ć? — mruknęła żałośnie babcia Josephine. — Nie chce brać naszych porcji. Słyszałam, jak jego matka usiłowała dziś rano przełożyć swoją kromkę chleba na jego talerz, ale on za nic nie chciał jej zjeść.

— Takie dobre dziecko! — westchnął dziadek George. — Zasłużył sobie na lepszy los.

Tymczasem pogoda ani myślała się poprawić, Charlie Bucket zaś każdego dnia był chudszy i chudszy. Twarz mu pobladła, rysy wyostrzyły się, a skóra tak się napinała na kościach policzkowych, jakby zaraz miały ją rozedrzeć. Widać było, że jeszcze trochę, a zacznie się jakaś bardzo poważna choroba.

Spokojnie, z tą osobliwą mądrością, którą przejawiają czasami małe dzieci w trudnych sytuacjach, Charlie zaczął dokonywać małych zmian w swych codziennych zajęciach, aby tracić jak najmniej sił. Zaczął wychodzić do szkoły dziesięć minut wcześniej, aby nie musiał iść nazbyt szybko. W czasie przerwy śniadaniowej siedział spokojnie w klasie, podczas gdy inne dzieci obrzucały się kulami i tarzały w śniegu. Każdy ruch wykonywał teraz rozważnie i powoli, aby tracić przy tym jak najmniej energii.

I oto kiedy pewnego popołudnia wracał do domu, smagany w twarz ostrymi uderzeniami wiatru (a czuł się tego dnia tak głodny, jak jeszcze nigdy dotąd), zauważył nagle jakiś srebrny błysk w śniegu obok krawężnika. Nachylił się i chociaż przed-

miot do połowy był schowany w zaspie śnieżnej, Charlie natychmiast go rozpoznał. Nie miał co do tego najmniejszych wątpliwości.

Pięćdziesiąt pensów!

Szybko rozejrzał się na boki.

Może pieniądz właśnie przed chwilą komuś wypadł?

Nie, było to niemożliwe, gdyż jego część była schowana.

Kilku przechodniów minęło go szybko, twarze chowając w kołnierzach, a śnieg chrzęścił im pod stopami. Nikt niczego nie szukał, nikt nie zwracał najmniejszej uwagi na małego chłopca na skraju chodnika.

Czy to naprawdę jego pięćdziesiąt pensów?

Może je wziąć?

Ostrożnie wygrzebał spod śniegu monetę. Była mokra i pobrudzona, a przecież — jaka piękna! Cudowna!

CAŁE pięćdziesiąt pensów!

Trzymał pieniądz w drżących palcach i wpatrywał się w niego z niedowierzaniem. W tej chwili znaczył dla niego tylko jedną jedyną rzecz: JEDZENIE!

Niewiele myśląc, obrócił się na pięcie i ruszył w kierunku najbliższego sklepu. To zaledwie kilka kroków... Był to sklepik, w którym sprzedawano gazety i przeróżne inne rzeczy, włącznie z papierosami i słodyczami.

— I zrobię tak — szybko szeptał do siebie pod nosem — że kupię jeden wspaniały batonik czekoladowy, zjem c a ł y zaraz na miejscu... kawałek po kawałku... a potem pójdę prosto do domu i resztę oddam mamie.

11. Cud

Charlie położył na ladzie mokre pięćdziesiąt pensów.

— Poproszę jedną karmelkowo-miodową czekoladkę Wonki — powiedział, bardzo mu bowiem smakowała ta, którą dostał na urodziny.

Sklepikarz nie wyglądał na głodnego. Był bardzo gruby, miał wielkie usta, pyzate policzki i bardzo tłusty kark, którego fałdy wylewały się znad kołnierzyka. Obrócił się, zdjął czekoladkę z półki, a potem znowu się obrócił i położył ją na ladzie przed Charliem. Chłopiec błyskawicznym ruchem chwycił smakołyk, rozerwał opakowanie i ugryzł wielki kęs. Potem jeszcze jeden... i jeszcze... ach, jak cudownie było mieć w ustach duże kawałki czegoś tak cudownie słodkiego, pożywnego! Cała twarz chłopca promieniała szczęściem.

— No, widzę, że ci naprawdę smakowało — powiedział z zadowoleniem sprzedawca.

Charlie tylko pokiwał głową, gdyż ciągle jeszcze przełykał czekoladę.

Sklepikarz położył na ladzie resztę.

— Uważaj, jak będziesz jadł tak łapczywie, to będziesz musiał kupić jeszcze coś na ból brzucha.

Charlie kiwnął głową, ale nie mógł się powstrzymać. Nie minęło pół minuty i po czekoladce został tylko rozdarty papierek. Chłopiec czuł się naprawdę wspaniale, chociaż z trudem łapał oddech. Sięgnął po resztę, ale dłoń zamarła mu nad ladą. Leżało na niej dziewięć monet pięciopensowych. Przecież nie będzie to wielka strata, jeśli wyda jeszcze jedną...

— Chyba... — powiedział i na chwilę się zawahał. — Chyba... poproszę jeszcze jedną czekoladkę. Taką samą jak poprzednio.

— Czemu nie? — powiedział tłusty sprzedawca i sięgnął po następną karmelkowo-miodową czekoladkę Wonki. Po chwili leżała już na ladzie.

Charlie złapał ją, jednym ruchem rozdarł opa-

kowanie i n a g l e... spod papieru... błysnęło coś złociście!

Charlie poczuł, że serce staje mu w piersiach.

— Złoty Talon! — wrzasnął sprzedawca i wyskoczył w powietrze. — Dostałeś Złoty Talon! Znalazłeś ostatni Złoty Talon! Nie do wiary! Ej, ludzie, chodźcie, sami zobaczcie! Ten chłopak znalazł ostatni Złoty Talon Wonki! Tutaj! Trzyma go w ręku! — Sklepikarz cieszył się tak, jakby to do niego uśmiechnęło się szczęście. — W moim sklepie! Tutaj, u mnie znalazł! Trzeba zaraz zawiadomić gazety! Tylko uważaj, synku, żebyś nie pomiął ani nie podarł tego wspaniałego skarbu. To drogocenna rzecz!

W jednej chwili sklep zapełnił się ludźmi. Przynajmniej dwudziestka otaczała Charliego, a inni tłoczyli się na ulicy. Wszyscy chcieli zobaczyć ostatni Złoty Talon i jego szczęśliwego znalazcę.

— Gdzie? Gdzie on jest?! — krzyknął ktoś. — Podnieście chłopaka, żebyśmy wszyscy mogli go zobaczyć.

— Tam, widzisz? To złote, co mu błyszczy w ręku!

— Ciekawe, jak j e m u się to udało?! — krzyknął ze złością jakiś dryblas. — Ja kupowałem po d w a d z i e ś c i a dziennie i nic!

— A potem jeszcze dostanie tyle, żeby mu starczyło do końca życia — zauważył ktoś z zawiścią w głosie.

— Przyda mu się, taki chudzielec! — zaśmiała się jakaś dziewczyna.

Charlie ani drgnął. Nie wyciągnął nawet do końca talonu z opakowania. Stał nieruchomo i w obu dłoniach mocno ściskał czekoladę, podczas gdy tłum kłębił się wokół niego. W głowie mu się kręciło, miał takie dziwne uczucie, jakby szybował balonem w powietrzu i nogi nie dotykały ziemi. Miał wrażenie, że serce łomocze aż w gardle.

W tej chwili poczuł lekki dotyk na ramieniu, a kiedy spojrzał w górę, zobaczył nachylającego się nad nim wysokiego mężczyznę.

— Posłuchaj — szepnął. — Kupię go od ciebie. Dam ci pięćdziesiąt funtów. Co ty na to? I jeszcze rower na dokładkę! W porządku?

— Czyś pan zwariował?! — wrzasnęła stojąca obok kobieta. — Ja mu dam dwieście funtów! Chyba sprzedasz ten papierek za dwieście funtów, prawda, chłopczyku?

— Ej, dość tego! — Sklepikarz przepchnął się przez tłum i mocno objął Charliego. — Już, dajcież spokój chłopakowi! I przepuśćcie go, no, z drogi!

— A doprowadziwszy Charliego do drzwi, szepnął mu na ucho: — Nie oddawaj go nikomu! I biegnij prosto do domu, żebyś gdzieś czasem nie zgubił talonu! Nie zatrzymuj się, aż będziesz w domu, rozumiesz?

Charlie pokiwał głową.

— I wiesz co? Wydaje mi się, że bardzo ci było potrzeba czegoś takiego. Bardzo się cieszę, że to na ciebie wypadło. Powodzenia, synku! — powiedział z uśmiechem.

— Dziękuję — zawołał Charlie i pognał tak

szybko, jak na to pozwalał śnieg. Kiedy mijał fabrykę pana Willy'ego Wonki, pomachał jej ręką
i zawołał:

— Zobaczymy się wkrótce!

Pięć minut później był już w domu.

12. Co było napisane na Złotym Talonie

Charlie wbiegł przez frontowe drzwi, krzycząc:
— Mamo! Mamo!! Mamo!!!
Pani Bucket była właśnie w pokoju dziadków i dawała im wieczorną zupę.
— M a m o! — Charlie wpadł do środka niczym huragan. — Patrz! Znalazłem! Patrz, mamo, patrz! Ostatni Złoty Talon! Jest mój! Znalazłem na ulicy monetę, kupiłem za nią dwie czekoladki i w drugiej był Złoty Talon, a potem były t ł u m y ludzi dookoła mnie i się cisnęły, ale ten pan sprzedawca mnie ochronił i kazał biec, i jestem. MAMO! PIĄTY ZŁOTY TALON I JA GO ZNALAZŁEM!!!
Pani Bucket w osłupieniu patrzyła na syna, dziadkowie zaś zamarli nad talerzami z zupą, a cztery łyżki wysunęły się z brzękiem z czworga rąk.
Na jakieś dziesięć sekund zapadła kompletna cisza. Nikt nie śmiał się poruszyć czy odezwać. To była magiczna chwila.
Potem dziadek Joe powiedział ostrożnie:
— Nabierasz nas, Charlie, prawda? To tylko taki żart?
— N i e! — wykrzyknął chłopiec, a na dowód podniósł do góry ręce, w których trzymał wspaniały Złoty Talon.
Dziadek Joe nachylił się i dokładnie przyjrzał,

nosem niemal dotykając papieru. Wszyscy czekali na jego werdykt.

Starzec bardzo powoli uniósł głowę, a po jego twarzy rozlał się cudowny uśmiech zachwytu. Wbił wzrok w Charliego. Na policzki dziadka powróciły rumieńce, oczy rozwarły się szeroko, a w każdej źrenicy tańczyła iskierka ekscytacji. Potem wziął głęboki oddech i nagle, bez żadnego ostrzeżenia, jakby eksplodował od środka. Wyrzucił w górę ręce i z przeraźliwym okrzykiem stanął na łóżku tak gwałtownie, że talerz z zupą wylądował na twarzy babci Josephine, a następnie ten kościsty dziewięćdziesięciosześćioipółlatek, który przez ostatnie dwanaście lat nie opuszczał łóżka, zeskoczył na podłogę i w piżamie odtańczył dziki taniec zwycięstwa.

— Uuuuiiiii! Trzy razy hura na cześć Charliego! Hura, hura, hurrrra!

W tym momencie drzwi się otworzyły i stanął w nich pan Bucket. Był przemarznięty i zmęczony. Cały dzień strawił na odgarnianiu śniegu.

— Ajajaj, tato! — zawołał. — A co to znowu za wygłupy?!

Wszyscy, jedno przez drugie, zaczęli mu tłumaczyć, co się wydarzyło.

— Nie, nie wierzę! To niemożliwe.

— Pokaż mu talon, Charlie! — krzyknął dziadek Joe, który nadal hasał w piżamie w paski po podłodze. — Pokaż swojemu ojcu ten piąty i ostatni Złoty Talon.

— Rzeczywiście, pokaż mi, Charlie — powiedział pan Bucket i ciężko usiadł na krześle, wy-

ciągając przed siebie rękę, a Charlie podał mu drogocenny talon.

Bardzo piękny był ten Złoty Talon. Wydawało się, że jest zrobiony z najczystszego złota sprasowanego na cieniutki listek. Na jednej stronie widniały misternie nadrukowane czarne litery. Było to zaproszenie od pana Willy'ego Wonki.

— Przeczytaj to na głos — powiedział dziadek Joe i wpakował się z powrotem do łóżka. — Niechaj dowiemy się wszyscy, co dokładnie jest tam napisane.

Pan Bucket zbliżył Złoty Talon do oczu. Dłonie mu lekko drżały i w ogóle wydawało się, że całe to wydarzenie jakby go przytłoczyło. Odetchnął kilka razy głęboko, odchrząknął i powiedział:

— No dobrze, czytam. Słuchajcie uważnie:

„Ja, Willy Wonka, serdecznie p o z d r a w i a m szczęśliwego znalazcę Złotego Talonu i mocno ściskam jego dłoń! Nastąpią teraz wielkie rzeczy i czeka Cię mnóstwo niespodzianek. Niniejszym zapraszam Cię do swej fabryki, gdzie razem z pozostałą czwórką właścicieli Złotych Talonów przez cały jeden dzień będziesz moim gościem. Oprowadzę Was osobiście po fabryce, pokazując wszystko, co godne jest obejrzenia, a kiedy przyjdzie czas rozstania, podąży za Tobą do domu rząd ogromnych ciężarówek. Zapewniam, że znajdzie się na nich tyle smakowitych specjałów, że Tobie i Twojej rodzinie starczy ich na wiele, wiele lat. A jeśli tylko zapasy się wyczerpią, wystarczy, że zjawisz się w mojej fabryce i pokażesz Złoty Talon, a ja z największą radością dam Ci z moich produktów, czego tylko zażądasz. W ten sposób będziesz miał pod dostatkiem smakołyków aż do końca życia. Ale wcale nie będzie to najbardziej ekscytujące wydarzenie w trakcie Twojej wizyty. Dla Ciebie i moich drogich pozostałych posiadaczy Złotych Talonów przygotowałem także inne niespodzianki, jeszcze bardziej cudowne i niezwykłe — z pewnością zaskoczą Was, zdumieją, zachwycą i zaintrygują niepomiernie. Nawet w najśmielszych snach nie wyobrażałeś sobie, że coś takiego może Ci się przytrafić! Sam się przekonasz! A oto szczegóły. Na dzień wizyty wybrałem pierwszego lutego. Dokładnie tego dnia musisz się stawić przed bramą fabryki punktualnie o godzinie dziesiątej. Pamiętaj, żeby się nie spóźnić! Możesz ze sobą przyprowadzić także jedną lub dwie osoby z Twojej rodziny, aby się Tobą opiekowały, a także, żeby były pewne, iż nie jest to żadne oszustwo. I jeszcze jedno — pamiętaj, żeby wziąć ze sobą Złoty Talon, gdyż w przeciwnym wypadku nie zostaniesz wpuszczony.

Podpisano: Willy Wonka"

— Pierwszy dzień l u t e g o! — zawołała pani Bucket. — Przecież to j u t r o! Dzisiaj jest trzydziestego pierwszego stycznia!

— Ajajaj — powiedział pan Bucket. — Masz rację!

— A więc w samą porę. Nie mamy nawet chwili do stracenia — stanowczo oznajmił dziadek Joe. — Trzeba zaraz zacząć się przygotowywać! Charlie, umyj buzię, uczesz włosy, wyszoruj ręce, umyj zęby, wysiąkaj nos, obetnij paznokcie, wyczyść buty, wyprasuj koszulę, no i zadbaj, żeby na spodniach nie było żadnych plam! Przygotuj się, chłopcze, do największego dnia w twoim życiu!

— Zaraz, dziadku, opanuj się trochę — powiedziała pani Bucket — bo twoje podniecenie udzieli się biednemu Charliemu. Wydarzenie jest wielkie, ale wszyscy musimy zachować spokój. A przede wszystkim trzeba ustalić, kto będzie towarzyszył Charliemu.

— Ja! — zawołał dziadek Joe i ponownie wyskoczył z łóżka. — Ja z nim pójdę! Ja się nim zaopiekuję! Zostawcie to mnie!

Pani Bucket uśmiechnęła się do teścia, ale spojrzała badawczo na swego męża.

— Czy to jednak nie t y, kochanie, powinieneś pójść z synem?

— Hm... — Pan Bucket zawahał się. — Nie. Raczej nie.

— Moim zdaniem nie tylko powinieneś, ale nawet m u s i s z — nastawała matka.

— Nie ma tu żadnego m u s i s z — spokojnie odrzekł pan Bucket. — Oczywiście, że c h c i a ł b y m pójść, przecież będzie to pasjonujące, ale... Moim zdaniem, najbardziej sobie na to z a s ł u ż y ł dziadek Joe. Najbardziej się do tego nadaje, tyle wie i w ogóle... Jeśli tylko czuje się na siłach.

— Taaaak! — wykrzyknął dziadek Joe, chwycił Charliego w ramiona i zaczął z nim hasać po pokoju.

— No, na s i ł a c h to tacie chyba istotnie nie zbywa — uśmiechnęła się pani Bucket. — Cóż...

może masz rację. Niech idzie dziadek Joe. Ja z pewnością muszę zostać w domu, bo trzeba się zaopiekować pozostałą trójką naszych rodziców.

— Alleluja! — wołał dziadek Joe. — Bóg zapłać!

W tej chwili rozległo się mocne stukanie do drzwi. Pan Bucket poszedł otworzyć, a już w następnej sekundzie w domu zaroiło się od dziennikarzy i fotografów. Wyśledzili, gdzie mieszka znalazca ostatniego Złotego Talonu, i teraz wszyscy chcieli mieć wywiady i zdjęcia na pierwsze strony porannych gazet. Wrzawa i harmider trwały przez kilka godzin i dopiero koło północy pani Bucket udało się wyprosić wszystkich gości, żeby Charlie mógł się wreszcie położyć do łóżka.

13. Nadchodzi wielki dzień

Ranek wielkiego dnia wstał słoneczny, ale na ziemi nadal bielił się śnieg, a powietrze było mroźne.

Pod bramą fabryki Wonki zebrał się wielki tłum, aby zobaczyć pięcioro szczęśliwców. Wszyscy byli ogromnie podnieceni. Zbliżała się dziesiąta. Ludzie krzyczeli i tłoczyli się, uzbrojeni policjanci odpychali ich od wejścia, przed którym stała mała grupka: pięcioro dzieci i towarzyszący im dorośli.

Łatwo było rozpoznać chudą, kościstą postać dziadka Joe, który stał spokojnie i trzymał za rękę małego Charliego Bucketa.

Wszystkie pozostałe dzieci przyszły ze swymi rodzicami i dobrze, że tak się stało, inaczej bowiem cała sytuacja mogłaby się wymknąć spod kontroli. Dzieci były tak niecierpliwe, że rodzice tylko z najwyższym wysiłkiem powstrzymywali je od wdrapywania się na ogrodzenie.

— Uspokój się! Stój spokojnie! — krzyczeli ojcowie. — Jeszcze nie c z a s! Jeszcze nie ma dziesiątej!

Charlie słyszał za sobą gwar zbiegowiska, w którym każdy chciał chociażby na moment dojrzeć małych triumfatorów.

— Tam jest Violet Beauregarde! — usłyszał czyjś głos. — To na pewno ona! Pamiętam jej twarz z gazety!

— Spójrzcie tylko! — zawołał ktoś inny. — Ciągle żuje ten sam okropny kawałek gumy, który ma od trzech miesięcy! Nic, tylko rusza tymi swoimi szczękami!

— A ten grubas?

— To Augustus Gloop!
— A, to on!
— Ale tłuścioch!
— Niesamowite!
— A co to za chłopak z komandosem na kurtce?

— Mike Teavee! Ten, co przepada za telewizją.

— Ten musi mieć coś nie w porządku z głową! Popatrzcie na te wszystkie pistolety, którymi się obwiesił!

— Pokażcie mi, gdzie jest ta cała Veruca Salt! — domagał się ktoś inny. — Jej ojciec kupił pół miliona czekoladek, a potem kazał robotnicom w swojej fabryce orzeszków tak długo je odpakowywać, aż w końcu któraś znalazła Złoty Talon! Daje jej wszystko, czego ona tylko zapragnie! Dosłownie wszystko! Wystarczy, żeby krzyknęła, a zaraz dostaje, co zechce!

— To okropne, nie?

— Wstrętne!

— Jak myślisz, która to?

— Tamta, po lewej! Mała dziewczynka w futrze z norki!

— A gdzie Charlie Bucket?

— Charlie Bucket? To chyba ten chudzielec obok starucha, który sam wygląda jak kościotrup. Tu, niedaleko nas! Widzisz?

— Takie zimno, a on nie ma palta! Dlaczego?

— Mnie pytasz? Nie stać go na nie czy jak?

— Do diaska! Musi mu być nieźle zimno!

Słysząc to, Charlie mocniej ścisnął rękę dziadka, a ten spojrzał na niego z uśmiechem.

Daleki dzwon kościelny zaczął wybijać dziesiątą.

Ze skrzypem zardzewiałych zawiasów wielka brama powolutku zaczęła się otwierać.

Tłum raptownie ucichł. Dzieci przestały podry-
giwać. Nikt nie spuszczał oczu z wejścia.

— T o o n! — krzyknął ktoś. — O n s a m!

I rzeczywiście.

14. Pan Willy Wonka

W otwartych wierzejach fabryki stał pan Willy Wonka we własnej osobie.

Cóż za niezwykły, chociaż niepokaźny człowiek! Na głowie miał czarny cylinder.

Odziany był we frak z pięknego, śliwkowego aksamitu.

Spodnie były koloru przydymionej zieleni, a rękawiczki — perłowoszare.

Nosił małą, starannie przystrzyżoną hiszpańską bródkę, ale prawdziwie zdumiewające miał oczy: czarne i roziskrzone. Cała twarz promieniała radością i rozbawieniem. I sprytem.

Był dziarski i pełen wigoru. Szybkimi, drobnymi ruchami przekrzywiał głowę na wszystkie strony i można było mieć pewność, że nic nie umknie spojrzeniu jego bystrych oczu. Jego szybkie ruchy przypominały starą, mądrą wiewiórkę z parku.

Nagle zadreptał tanecznie w śniegu, rozpostarł ramiona i uśmiechając się do pięciorga stojących pod bramą dzieci, zawołał:

— Witajcie, moi mali przyjaciele! Witajcie w mojej fabryce!

Głos miał wysoki i śpiewny.

— Podchodźcie teraz do mnie kolejno, razem ze

swoimi rodzicami, pokazując Złoty Talon i przed-
stawiając się. Kto pierwszy?

Grubas wystąpił naprzód.

— Nazywam się Augustus Gloop — obwieścił.

— Augustus! — wykrzyknął pan Wonka, chwycił dłoń chłopca i bardzo mocno ją uścisnął. —
Jakże miło cię zobaczyć, kochany chłopcze!
Cudownie! Wspaniale! Jestem zachwycony ze spot-
kania. A to twoi rodzice? Świetnie! Proszę bardzo! Zapraszam! Wejdźcie do środka!

Pan Wonka był wyraźnie tak podniecony jak
wszyscy pozostali.

— A ja nazywam się Veruca Salt — oznajmiła
dziewczynka.

— Co u ciebie, kochana Veruco?! Jak się masz? Jakże mi przyjemnie! Masz takie interesujące imię, nieprawdaż? Przypomina trochę perukę, trzeba bardzo uważać, żeby się nie pomylić. Ale może to tylko mój kłopot. Ślicznie wyglądasz w tym uroczym futerku z norki! Tak się cieszę, że przyszłaś! Ach, jakiż to będzie pasjonujący dzień, oby tylko i tobie się spodobał! Ale co tam, na pewno się spodoba, bez dwóch zdań! Jestem tego najzupełniej pewien. A to twój tata? Witam, panie Salt. A to z pewnością pani Salt? Jestem zaszczycony! Tak, z talonem wszystko w porządku! Proszę do środka!

Następnie pokazali swoje talony Violet Beauregarde oraz Mike Teavee i obojgu pan Wonka omal nie urwał dłoni, tak mocno je ścisnął.

W końcu cichy, podenerwowany głos wyszeptał:

— Charlie Bucket.

— Charlie! — wykrzyknął pan Wonka. — Proszę, proszę, a więc to ty! Dopiero wczoraj znalazłeś talon, mam rację? Tak, tak, czytałem o tym w porannych gazetach! Dosłownie w ostatniej chwili, mój drogi! Jestem z tego bardzo zadowolony! Tak się cieszę, że szczęście uśmiechnęło się do ciebie! A to kto? Twój dziadek? Taki jestem rad, że mogę pana poznać! Zachwycony! Zaszczycony! Urzeczony! Tak, znakomicie. Mamy już wszystkich? Cała piątka? Tak! Wspaniale! To teraz proszę za mną! Zaczyna się nasza wyprawa! Tylko jedno — trzymajcie się razem, niech nikt się nie odłącza! W tym momencie absolutnie nie chciałbym zgubić żadnego z was! Och nie, za nic!

Charlie spojrzał przez ramię i zobaczył, jak ciężkie metalowe odrzwia powoli się zamykają. W szczelinie widać było jeszcze rozgorączkowany tłum, ale już po chwili z głośnym trzaskiem oba skrzydła bramy zwarły się ze sobą.

— Zaczynamy! — Pan Wonka drobnym kroczkiem ruszył przed siebie. — Proszę przez te duże czerwone drzwi! Tak, t ę d y! W środku będzie przyjemnie i ciepło! Muszę szczególnie dbać o ciepło w fabryce z powodu moich pracowników, którzy przywykli do b a r d z o ciepłych klimatów! Nie mogą znieść zimna! Gdyby wyszli na taką pogodę jak dzisiaj, byłoby już po nich! Zamarzliby na śmierć!

— A k t o to taki? — zainteresował się Augustus Gloop.

— Wszystko w swoim czasie, drogi chłopcze — uśmiechnął się do Augustusa pan Wonka. — Cierpliwości. Bądźcie spokojni. Wszystko zobaczycie na własne oczy! Czy wszyscy są już w środku? Świetnie! Proszę zamknąć drzwi, jeśli łaska. Dziękuję bardzo!

Charlie zobaczył przed sobą ciągnący się bez końca korytarz, tak szeroki, że swobodnie mogłoby nim jechać auto. Ściany były jasnoróżowe, światło miękkie i łagodne.

— Ach, jak ciepło i przyjemnie! — szepnął Charlie.

— A jaki wspaniały zapach — powiedział dziadek Joe i mocno pociągnął nosem.

Wydawało się, że w powietrzu zmieszały się wszystkie najpiękniejsze aromaty świata: palonej kawy, karmelu, płynnej czekolady, mięty, fiołków, orzechów, kwiatu jabłoni i skórki pomarańczowej...

A z wnętrza fabryki dochodził potężny pomruk, jakby jakaś machina rozkręcała swe tryby z oszałamiającą szybkością.

— O t o, moje drogie dzieci — zaczął pan Wonka, podnosząc nieco głos, aby przekrzyczeć hałas — główny korytarz. Zostawcie tutaj na wieszakach swoje okrycia, a potem proszę za mną. Tędy. T a k, dobrze! Wszyscy gotowi? Zatem idziemy!

Raptownie ruszył przed siebie krokiem tak zdecydowanym, że poły jego śliwkowego fraka powiewały z tyłu, a wszyscy spiesznie podążyli za nim.

Była to całkiem spora grupka: dziewięcioro dorosłych i pięcioro dzieci, czyli w sumie czternaście osób. Nietrudno sobie wyobrazić, że kiedy wszyscy usiłowali nadążyć za panem Wonką, potrącali się i wpadali na siebie, a tymczasem gospodarz jeszcze ich pospieszał.

— Nuże! — krzyknął, spoglądając przez ramię. — Proszę się nie ociągać, bo w takim tempie n i e uwiniemy się w jeden dzień!

Po chwili z głównego korytarza skręcił w prawo w odrobinę węższe przejście.

Potem w lewo.
I znowu w lewo.

Potem w prawo.

W lewo.

W prawo.

Raz jeszcze w prawo.

W lewo.

Przypominało to gigantyczny labirynt — ta prawdziwa plątanina korytarzy, rozchodzących się we wszystkich kierunkach.

— Nie puszczaj mojej ręki, Charlie — szepnął dziadek.

— Proszę zauważyć — zawołał pan Wonka — że przez cały czas idziemy w dół! W s z y s t k i e najważniejsze części mojej fabryki są głęboko pod ziemią.

— A dlaczego? — spytał ktoś.

— Na powierzchni najzwyczajniej w świecie zabrakłoby miejsca! — wyjaśnił pan Wonka. — Sami zobaczycie, jakie to n i e z w y k l e wielkie pomieszczenia! Są nawet większe od boiska piłkarskiego! Nie ma takiego budynku na całym ś w i e c i e, który by je wszystkie pomieścił. Natomiast pod ziemią jest dostatecznie dużo miejsca, ile tylko zechcę. Robi się odpowiedni wykop — i nie ma problemu.

Pan Wonka skręcił w prawo.

W lewo.

Znowu w prawo.

Korytarze opadały coraz bardziej stromo i stromo.

I nagle po ostatnim zakręcie pan Wonka zatrzymał się przed lśniącymi metalowymi drzwiami. Wszyscy stłoczyli się za nim. Na drzwiach widniały wielkie litery:

HALA CZEKOLADOWA

15. Hala Czekoladowa

— Bardzo ważne miejsce! — obwieścił pan Wonka, wyjmując z kieszeni pęk kluczy i wkładając jeden z nich do zamka. — To jądro całej fabryki, serce całego przedsięwzięcia! A jakie p i ę k n e! Bardzo mi z a l e ż y na tym, żeby wnętrze mojej fabryki było piękne! Brzydoty tutaj n i e z n i ó s ł b y m! Zatem do ś r o d k a! Ale u w a g a, moje dzieci! Żebyście czasem nie potraciły głów! Nie podniecajcie się, zachowajcie spokój!

I pan Wonka otworzył drzwi, a kiedy pięcioro dzieci i dziewięcioro dorosłych znalazło się za drzwiami, jakiż zachwycający widok ukazał się ich oczom!

Pod nimi rozpościerała się cudowna dolina. Oba jej zbocza porastały bujne łąki, a dnem płynęła duża brązowa rzeka. W połowie jej biegu znajdował się olbrzymi wodospad — woda leciała w dół pionowego urwiska, tworząc u spodu pienistą kotłowaninę.

Zaraz za wodospadem (i to był z pewnością najbardziej niezwykły widok) w wodę zanurzały się gigantyczne szklane rury, zwisające z wysoko sklepionego sufitu. Mówię wam, rury naprawdę p r z e o g r o m n e. Był ich dobry tuzin. Wsysały z rzeki brązową wodę i odprowadzały nie wiadomo gdzie, a ponieważ były ze szkła, dobrze widziało się bulgoczący płyn, który sunął przez nie w górę. Po-

przez huk wodospadu można było usłyszeć nie kończący się odgłos potężnego ssania.

Brzegi rzeki porastały urocze drzewa i krzewy: płaczące wierzby, olchy, wysokie kępy rododendronów z różowymi, czerwonymi i fioletoworóżowymi kwiatami. Na łące kwitło tysiące jaskrów.

— Proszę bardzo! — wykrzyknął pan Wonka, swoim zwyczajem lekko zatańczył i zakończoną złotą skuwką laską wskazał wielką brązową rzekę. — To w s z y s t k o czekolada! Każda kropla w tej rzece to gorąca wyborna czekolada. N a j w y b o r n i e j s z a na świecie! Płynie tutaj tyle czekolady, że bez trudu wypełniłaby wszystkie wanny w c a ł y m kraju! A do tego wszystkie baseny! Czyż to nie w s p a n i a ł e? A teraz spójrzcie na rury! Poprzez nie czekolada doprowadzana jest do wszystkich stanowisk w fabryce, gdzie jej potrzebują! Tysiące galonów na godzinę, moje dziatki! Tysiące tysięcy!

Dzieci i dorośli zaniemówili z wrażenia. Byli oszołomieni. Ogłuszeni. Stali nieporuszeni. Ogrom tego, co widzieli, po prostu ich sparaliżował.

— A n a j w a ż n i e j s z ą rolę odgrywa wodospad! — entuzjazmował się pan Wonka. — Miesza czekoladę! Uciera! Ubija! W nim staje się lekka i pienista! Żadna inna fabryka na świecie nie używa do tego celu wodospadu, a tymczasem t y l k o w ten sposób można to zrobić odpowiednio! W żaden inny! A jak wam się podobają moje drzewa? — krzyczał pan Wonka, wymachując laską. — I moje cudne krzaki? Prawda, że ślicznie wyglądają? Mówiłem już: nie znoszę brzydoty! Ale jeszcze coś:

wszystkie nadają się do jedzenia! Każda rośli-na zrobiona jest z czegoś innego, a pysznego! A jak łąki? Czy nie są zachwycające z tymi jaskrami? Po-doba wam się trawa? Ta, na której stoicie, zrobiona jest z miętowego cukru, który właśnie niedawno wynalazłem! Nazwałem ją miętawką! Skosztujcie, proszę! Jest bardzo smaczna!

Wszyscy odruchowo schylili się i zerwali po jed-nym źdźble — wszyscy z wyjątkiem Augustusa Gloopa, który schwycił całą garść.

A Violet Beauregarde zanim posmakowała tra-wy, najpierw wyjęła z ust rekordowy kawałek gumy do żucia i starannie umieściła go za uchem.

— Znakomita! — szepnął Charlie. — Ale cu-downy smak, prawda, dziadku?

— Mógłbym zjeść całą łąkę — powiedział w rozmarzeniu dziadek Joe. — Jak krowa cho-dziłbym na czworakach i nie przepuściłbym naj-mniejszemu ździebełku.

— Spróbujcie także jaskrów! — poradził pan Wonka. — Są jeszcze smaczniejsze!

Nagle powietrze wypełniły przeraźliwe okrzyki, które wydawała Veruca Salt. Wyciągając przed sie-bie rękę, pokazywała na drugi brzeg rzeki.

— Tam! Patrzcie! — piszczała. — Co to takie-go? Rusza się! Chodzi! To małe stworzenie, mały człowieczek! Tam, koło wodospadu!

Wszyscy oderwali się od jaskrów i spojrzeli we wskazanym kierunku.

— Dziadku, ona ma rację! — wykrzyknął Charlie. — Mały człowieczek! Widzisz?

— Widzę, Charlie, widzę! — podnieconym głosem przytaknął dziadek Joe.

Teraz już wszyscy krzyczeli jedno przez drugiego:

— Są tam d w a!

— Na miłość boską!

— Więcej! Trzy, cztery, pięć!

— Co oni tam r o b i ą?

— Skąd się tam w z i ę l i?

— I k t o to taki?

Dzieci i dorośli rzucili się do rzeki, aby lepiej przyjrzeć się liliputom.

— Naprawdę f a n t a s t y c z n c!

— Nie sięgają mi nawet do kolan!

— A jakie długie mają włosy!

Małe ludziki — wielkości średniej lalki — przerwały swoje zajęcie i one także przypatrywały się gościom. Jeden z nich wskazał palcem dzieci, szepnął coś do reszty i cała piątka parsknęła perlistym śmiechem.

— Ale przecież to nie mogą być p r a w d z i w i ludzie — powiedział Charlie.

— Oczywiście, że to prawdziwi ludzie — sprzeciwił się pan Wonka. — To Umpa-Lumpy.

16. Umpa-Lumpy

— Umpa-Lumpy! — wszyscy powtórzyli chórem. — U m p a - L u m p y!

— Dostarczone wprost z Umpalandu — z dumą w głosie obwieścił pan Wonka.

— Nie ma takiego miejsca na świecie — zaperzyła się pani Salt.

— Przepraszam najmocniej, szanowna pani, ale...

— P a n i e W o n k a! — ofuknęła go pani Salt.

— Wiem, co mówię, jestem nauczycielką geografii

— No to wiele musi pani wiedzieć o tej okropnej krainie! Nic, tylko gęsta dżungla, a w niej bestie najstraszliwsze na świecie: wierzgorożce, syczawice, no a najgorsze są te dzikie kłapojady. Taki kłapojad porwie na śniadanie dziesięć Umpa-Lump i nawet się nie obejrzysz, a on już galopem gna po dokładkę. Kiedy tam dotarłem, zobaczyłem, że te małe Umpa-Lumpy mieszkają na drzewach, a m u s i a-ł y się tam schronić przed kłapojadami, wierzgorożcami i syczawicami. Karmiły się zielonymi gąsienicami, które smakują obrzydliwie, więc Umpa-Lumpy całymi dniami wędrowały koronami drzew, aby znaleźć coś na okrasę do gąsienic — na przykład czerwie, liście eukaliptusa albo korę z drzewa bong-bong. Wszystko to są wprawdzie wstrętne rzeczy, ale nie aż tak wstrętne jak zielone gąsienice.

Biedne małe Umpa-Lumpy! A jedna rzecz, o której wszystkie marzyły, to ziarno kakaowe. Ach, jak one do tego tęskniły! Śniły o ziarnach kakaowych po nocach, a za dnia tylko o nich rozmawiały. Wystarczy, że przy Umpa-Lumpie w y m ó w i s z słowo „kakao", a natychmiast ma usta pełne śliny. Tak się tymczasem składa — ciągnął pan Wonka — że ziarno kakaowe, wydobywane z owoców rosnących na drzewach kakaowych, jest t y m, z czego robi się czekoladę. Bez niego ani rusz. Kakao t o po prostu czekolada. Ja używam mnóstwa ziaren kakaowych każdego tygodnia. Kiedy więc, drogie dziatki, zorientowałem się, że Umpa-Lumpy wprost szaleją

na punkcie kakao, wdrapałem się do ich nadrzewnej wioski i zajrzałem do chatki przywódcy plemienia. Wychudzony i zagłodzony biedaczek siedział nad miską rozgniecionych zielonych gąsienic i usiłował je przełknąć bez mdłości. „Proszę posłuchać", powiedziałem (naturalnie nie po angielsku, lecz po umpa-lumpiańsku). „Jeśli pan i pańscy ludzie przeniesiecie się do mojego kraju i zamieszkacie w mojej fabryce, będziecie mogli mieć t y l e ziarna kakaowego, ile tylko zapragniecie! Mam go w magazynach całe góry! Będziecie mieli ziarno kakaowe na każdy posiłek! Będziecie mogli się nim objadać, ile dusza zapragnie! Jeśli tylko zechcecie, będę wypłacał wam pensje w kakao!" „Mówi pan serio?", spytał wódz Umpa-Lumpa i zerwał się z krzesła. „Oczywiście", odparłem. „Zresztą to samo dotyczy czekolady. Czekolada smakuje nawet lepiej od kakao, bo dodaje się do niego mleka i cukru". Mały człowieczek z okrzykiem radości cisnął miskę z gąsienicami przez okno swego podniebnego domku. „Umowa stoi! Ruszamy! Nie ma na co czekać!" Przewieźliśmy więc tutaj wszystkich, dorosłych i dzieci. Łatwo sobie z tym poradziłem. Nie chciałem kłopotów na granicy, więc powsadzałem ich w wielkie skrzynie z wyciętymi otworami, żeby mieli czym oddychać. To wspaniali pracownicy, teraz wszyscy już mówią po angielsku. Uwielbiają taniec i muzykę. Przy każdej okazji układają piosenki. Myślę, że niejedną dzisiaj usłyszycie, chociaż ostrzegam, że są dosyć złośliwe. Kochają żarty. Ubierają się tak samo jak w dżungli, bardzo im na tym zależało. Mężczyźni, jak sami możecie stwierdzić, noszą tylko skóry jelenie, kobiety odziane są w liście, a dzieci nie mają na sobie w ogóle niczego. Kobiety codziennie zmieniają liście i....

— T a t o! — wpadła w słowo panu Wonce Veruca Salt (przypomnijmy, dziewczynka, która dostawała wszystko, czego chciała). — Tato, ja chcę taką jedną Umpa-Lumpę! Kup mi ją! Chcę Umpa--Lumpę tutaj, zaraz! Zabiorę ją do domu! No rusz się, kup mi ją!

— Uspokój się, kochanie — odparł ojciec. — Nie możemy przerywać panu Wonce.

— Ale ja c h c ę Umpa-Lumpę! — zawodziła Veruca.

— O c z y w i ś c i e, Veruco, oczywiście. Ale nie w tej chwili. Błagam cię, uzbrój się w cierpliwość. Zobaczymy, czy uda się to załatwić jeszcze dzisiaj.

— Augustusie! — rozległ się krzyk pani Gloop. — Augustusie, dziecko kochane, nie wiem, czy t o najlepszy pomysł.

Jak nietrudno zgadnąć, Augustus Gloop zakradł się cichcem na sam brzeg rzeki, ukląkł, a teraz nabierał ręką gorącą czekoladę i spijał tak szybko, jak tylko potrafił.

17. Augustus Gloop w rurę wessany

Słysząc okrzyk pani Gloop, pan Wonka odwrócił się, a zobaczywszy, co wyczynia łakomczuch, zawołał:

— Nie, nie, Augustusie, b ł a g a m! Mojej czekolady nie może tknąć niczyja ręka!

— Augustusie! — krzyknęła pani Gloop. — Czy nie słyszałeś, co powiedział pan Wonka? Wracaj tutaj natychmiast!

— Pychota! — wykrztusił między jedną a drugą porcją czekolady Augustus, który nic sobie nie robił ani z protestów matki, ani z pana Wonki. — Przydałby się jakiś kubełek!

— Augustusie! — Pan Wonka podskakiwał jak na sprężynkach i potrząsał w powietrzu laską. — Proszę zaraz stamtąd o d e j ś ć! Brudzisz mi czekoladę!

— Augustusie! — krzyczała pani Gloop.

— Augustusie! — krzyczał pan Gloop.

Augustus był jednak głuchy na wszystkie wezwania, z wyjątkiem nakazów żołądka. Ułożył się płasko z głową zwisającą nad samą powierzchnią rzeki i chłeptał czekoladę niczym pies.

— Augustusie! — upominała pani Gloop. — Zarazisz swoim przeziębieniem miliony ludzi na całym świecie!

— Uważaj! — wtórował jej pan Gloop. — Wychylasz się za daleko!

I miał zupełną rację. Nagle rozległ się krzyk, potem chlupot — Augustus Gloop wpadł do rzeki i zniknął pod jej brunatną powierzchnią.

— Ratujcie go! — darła się wniebogłosy blada z przerażenia pani Gloop i rozpaczliwie machała parasolką. — Utopi się! W ogóle nie potrafi pływać! Ratunku! Ratujcie mojego synka!

— Co to, to nie — zaprotestował pan Gloop. — Ja z pewnością nie będę nurkował w czymś takim! Mam na sobie najlepszy garnitur!

Z cieczy wynurzyła się twarz Augustusa, cała ociekająca czekoladą.

— Ra-ratunku! Ra-ra-ratunku! — wychrypiał. — Wy-wyłówcie mnie!

— Nie s t ó j tak! — krzyknęła pani Gloop na męża. — Z r ó b coś!

— D o b r z e już, dobrze — mruknął pan Gloop, zdjął marynarkę, zakasał rękawy i zaczął się szykować do skoku.

W tym czasie jednak czekoladowy nurt poniósł żarłocznego chłopaka w pobliże otworu jednej z wielkich rur. Na twarzy Augustusa pojawiło się przerażenie i już w następnej chwili potężny wir wciągnął go w głębinę, z której zaraz się wynurzył — ale we wnętrzu szklanej rury.

Na brzegu wszyscy patrzyli na to oniemiali.

— L e c i w g ó r ę! — ktoś wreszcie wykrztusił.

I istotnie — żarłok głową do przodu mknął w kierunku sufitu z szybkością torpedy.

— Pomocy! Mordercy! Policja! — zawyła pani Gloop. — Augustusie, wracaj czym prędzej! Dokąd ty lecisz?

— A ja się dziwię, jak to możliwe, żeby ta szklana rura go pomieściła — zadumał się pan Gloop.

— Jednak jest z a wąska! — zauważył Charlie Bucket. — Patrzcie, patrzcie, zwalnia!

— Racja, racja, zwalnia! — zawołał dziadek Joe.

— Chyba ugrzęźnie! — wyraził przypuszczenie Charlie.

— Ani chybi! — zgodził się dziadek Joe.

— No i u g r z ą z ł! — zawołał Charlie.

— Brzuch nie chce przejść! — powiedział pan Gloop.

— Zablokował rurę i co teraz? — niepokoił się dziadek Joe.

— Rozbić ją! Czym prędzej! — darła się pani Gloop, bez przerwy wywijając parasolką. — Augustusie, proszę natychmiast wracać!

Wszyscy widzieli, jak płynna czekolada kłębi się pod czopem, którym stało się ciało Augustusa, zbiera, gęstnieje i coraz mocniej napiera. Ciśnienie było ogromne, coś musiało przed nim ustąpić. Tym czymś okazał się Augustus. PUUUF! I znowu mknął w rurze niczym pocisk w lufie.

— Zniknął! — wrasnęła pani Gloop. — Dokąd prowadzi ta rura?! Szybko! Trzeba wezwać straż pożarną.

— Spokojnie! — próbował ją uciszyć pan Wonka. — Niechże się łaskawa pani uspokoi. Nie ma żadnego niebezpieczeństwa! Najmniejszego. Augustus udał się w małą podróż, to wszystko. Bardzo interesującą małą podróż. Wróci z niej jednak, proszę tylko zaczekać, sama pani zobaczy. Nic mu się nie stanie.

— Jak to nic mu się nie stanie?! — rozpaczała pani Gloop. — Zaraz go przerobią na pomadki.

— Niemożliwe! — stanowczo zaprotestował pan Wonka. — Wykluczone. Całkowicie i kompletnie. Nie będzie z niego żadnych pomadek!

— A skąd ta pewność, można spytać? — obruszyła się pani Gloop.

— Bo ta rura nawet obok pomadek nie przechodzi! Trzeba trafu, że rura, do której trafił Augustus, wiedzie prosto do hali, gdzie wytwarzam najdelikatniejszą truskawkową piankę w czekoladowej polewie...

— To zamienią go w truskawkową piankę w czekoladowej polewie! — załkała pani Gloop. — Mój biedny Augustusie! Jutro rano będą cię sprzedawali na wagę w każdym sklepiku!

— Masz rację, to oburzające — włączył się pan Gloop.

— Sama wiem, że mam rację — obruszyła się jego żona.

— Nie ma tu z czego żartować — dorzucił pan Gloop..

— Ale spójrz tylko na pana Wonkę! — histerycznie krzyknęła pani Gloop. — Tylko popatrz, jak mu wesoło! Mało nie udławi się ze śmiechu! Ty potworze, jak śmiesz cieszyć się z tego, że mojego synka wessała ta obrzydliwa rura?! — Mierzyła teraz w pana Wonkę parasolką, jak gdyby chciała go zaatakować. — Tobie się to wydaje wspaniałym dowcipem, tak? Że mojego synka porwało do Hali Piankowej?

— Najzupełniej nic mu tam nie grozi — zachichotał pan Wonka.

— Zrobią z niego piankę i obleją czekoladą — piekliła się pani Gloop.

— Przenigdy! — krzyknął pan Wonka.

— Zrooobią! — nie dawała za wygraną pani Gloop.

— Nie ma mowy, nie dopuszczę do tego! — oznajmił z mocą pan Wonka.

— A dlaczego? — dopytywała pani Gloop.

— Bo smak byłby obrzydliwy! Proszę tylko sobie wyobrazić! Augustus Gloop w polewie czekoladowej! Nikt by tego nie kupił.

— Wprost przeciwnie! — oburzył się pan Gloop.

— Ani myślę sobie wyobrażać coś takiego! — wzdrygnęła się pani Gloop.

— Ani ja — zgodził się pan Wonka. — Zaręczam szanownej pani, że jej ukochanemu chłopcu nic nie grozi.

— Skoro tak, to gdzie on? — wojowniczym tonem spytała pani Gloop. — Proszę mnie natychmiast do niego zaprowadzić!

Pan Wonka odwrócił się i trzy razy pstryknął palcami. Jak na zawołanie, nie wiadomo skąd pojawił się przy nim Umpa-Lumpa.

Ukłonił się i uśmiechnął, pokazując piękne białe zęby. Skórę miał różowiutką, długie włosy były złocistobrązowe, a jego głowa znajdowała się na wysokości kolana producenta czekolady. Ubrany był w płat jeleniej skóry.

— Posłuchaj — zwrócił się do niego Wonka. —

Masz zaprowadzić państwa Gloop do Hali Piankowej i pomóc im odnaleźć tam ich syna, Augustusa. Poniosła go tam rura.

Umpa-Lumpa spojrzał na panią Gloop i zaniósł się perlistym śmiechem.

— Uspokój się! — ofuknął go pan Wonka. — Musisz się trochę opanować, bo ta dama wcale nie uważa tego za śmieszne!

— Wcale, ale to wcale! — zgodziła się matka Augustusa.

— Idź wprost do Hali Piankowej, a tam weź jakiś długi kij i zacznij macać w kadzi do mieszania czekolady. Powinieneś go tam znaleźć, ale przypatruj się dobrze! I pospiesz się! Jeśli go zostawisz w kadzi zbyt długo, to przeleje się na taśmę, gdzie porcjują piankę, a to b y ł o b y prawdziwe nieszczęście, bez dwóch zdań. Cała partia do w y r z u c e n i a!

Pani Gloop wydała z siebie przeraźliwy krzyk.

— Żartowałem — zachichotał pan Wonka. — To nie było na serio, bardzo przepraszam. Do widzenia, pani Gloop! Do widzenia, panie Gloop! Zobaczymy się później...

Kiedy państwo Gloop pospieszyli za swoim małym przewodnikiem, pięcioro Umpa-Lump po drugiej stronie rzeki nagle zaczęło pląsać i walić w malutkie bębenki.

— Augustus Gloop! — krzyczały rytmicznie. — Augustus Gloop! Augustus Gloop! Augustus Gloop!

— Dziadku! — zawołał Charlie. — Co o n e tam wyczyniają?

— Szaaa! — szepnął dziadek. — Coś mi się zdaje, że chcą nam zaśpiewać.

Augustusie Gloopie! — śpiewały Umpa-Lumpy.
Augustusie Gloopie! Augustusie Gloopie!
Przeraźliwie łakome z ciebie chłopię!
Ile znieść też można, powiedzcie to sami,
Że będzie pożerał wielkimi kęsami,
Co tylko mu w rękę wpadnie i w usta?
Niedługo, niedługo, odpowiedź jest prosta.
A wiemy dokładnie, że choćby żył wieki,
Tak długo, iż poznałby różne epoki,
To w żadnym wszak miejscu i dla nikogo
Nie będzie ci z Gloopa pożytku żadnego.
I co tu poradzić, gdy tak stoją sprawy?
Takiego bachora, jeśli kto ciekawy,
Bierzemy w swe ręce i tak przemieniamy
Starannie, subtelnie, tak, na tym się znamy,
Żeby coś dla wszystkich miłego powstało:
Koniczek, powiedzmy, czy graniaste koło,
Lalka bądź piłeczka, poducha mięciutka.
Ten jednak wstręciuszek, to żadna zagadka,
Okropnie żarłoczny, jak rzadko na świecie,
Ach, chciwy, bezwzględny, co tylko powiecie,
Miał smak taki podły i zapach cuchnący,
Że całkiem niezbędny był zabieg czyszczący,
Kampania wręcz wielka, operacja istna,
Aby go odświeżyć bez reszty i do cna.
Więc rada tak w radę, wspólnymi siłami
Zgadliśmy, że będzie najlepiej rurami
Przemieścić go gracko do miejsca takiego,
Gdzie pozbyć się uda posmaku wstrętnego.
„Czas nastał najwyższy", tak sobie rzekliśmy,
„By w rur naszych wciągnąć go system przemyślny
I wnet operacjom poddać dosmaczniania".

A wcale nie trzeba długiego czekania,
By zuch nasz doświadczył nad wyraz cieleśnie,
Wydarzeń ciekawych i dziwnych okropnie.
Ale się, dzieciaczki, nie bójcie doprawdy,
Augustus Gloop żadnej nie poniesie krzywdy,
Aczkolwiek, musimy to jasno obwieścić,
Trzeba go tu będzie odrobinę zmienić,
Zmian upiększających zaś gracko dokona
Nasza znakomita maszyna piankowa.
Koła powoli się zaczną rozkręcać,
A tryby zębate rozgłośnie też szczękać,
Noży jasnych setki, błysk, błysk, szybko skroją
Augustusa na paski, następnie posłodzą
Go, doprawią, specjaliści nasi,
I niechże się potem na gazie kitwasi,
Aż się zła łapczywość z niego wyyotuje.
A potem, najmilsi, każdy skonstatuje,
Że się cud prawdziwy dokonał na Gloopie:
Nikt teraz nie powie, że dziecię to głupie,
I jeśli kto nie mógł go ścierpieć niedawno,
To teraz życzliwie popatrzy na pewno,
Bo komu choć trochę stanie na zawadzie
Kawałeczek pianki w pysznej czekoladzie?

— M ó w i ł e m, że uwielbiają śpiew! — wykrzyknął pan Wonka. — No i co, czy nie są urocze? Urzekające? Ale nie wierzcie w ani jedno słówko! To
wszystko bzdury!
— Dziadku, czy Umpa-Lumpy naprawdę tylko
żartują?
— Oczywiście! — odpowiedział dziadek Joe. —
M u s z ą żartować. No, przynajmniej taką mam
nadzieję, a ty?

18. Podróż rzeką czekoladową

— Nie traćmy czasu! — ponaglił pan Wonka. — Proszę za mną do następnego pomieszczenia! I nie trapcie się państwo o Augustusa Gloopa. Wyjdzie ze wszystkiego śliczny i pachnący jak nigdy. Zawsze tak jest. Teraz pora na przejażdżkę łódką! O, już nadpływa, patrzcie!

Nad rzeką czekolady kłębiła się teraz gęsta mgła, z której nagle wynurzyła się niezwykła różowa łódź. Była to szeroka łódź wiosłowa, z wysokim dziobem i wysoką rufą (jak kiedyś u wikingów), a zrobiona była z tak roziskrzonego różowego materiału, iż można było pomyśleć, że zbudowana jest ze szkła. Z obu burt sterczało pięć par wioseł, a kiedy łódź podpłynęła bliżej, wszyscy zobaczyli, że każde z nich poruszane jest przez dziesięć Umpa-Lump.

— To mój prywatny jacht! — z dumą obwieścił pan Wonka. — Kazałem wydrążyć gigantyczną landrynkę! Czyż nie jest piękna?! Spójrzcie tylko, jak sunie po rzece!

Landrynkowa łódka gładko przybiła do brzegu, a setka Umpa-Lump oparłszy się na wiosłach, wpatrzyła się w gości pana Wonki, by potem z jakiegoś im tylko znanego powodu wybuchnąć hałaśliwym śmiechem.

— Co je tak bardzo rozśmieszyło? — spytała Violet Beauregarde.

— Proszę się n i m i nie przejmować! — zawołał pan Wonka. — One zawsze się śmieją! Wszystko im się wydaje jednym wielkim dowcipem! No proszę, wskakujcie szybko do łodzi! Szybko! Nie mamy czasu!

Kiedy wszyscy już się usadowili, Umpa-Lumpy odepchnęły łódkę od brzegu i szybko popłynęły w dół rzeki.

— Ej, Mike Teavee! Proszę nie oblizywać mi łódki! — oburzył się pan Wonka. — Zrobi się od tego lepka!

— Tato! — odezwała się Veruca Salt. — Ja też chcę taką łódkę! Masz mi kupić taką wielką landrynkową łódkę, dokładnie taką jak ta. A do tego takie Umpa-Lumpy, żeby mi wiosłowały, i chcę taką czekoladową rzekę, i jeszcze... i jeszcze...

— Przydałoby jej się parę klapsów — szepnął dziadek Joe do Charliego. Obaj siedzieli na rufie; chłopiec mocno trzymał dziadka za kościstą rękę. Nie posiadał się z podniecenia. Wszystko, co dotąd zobaczył — wielka czekoladowa rzeka, wodospad, wielkie rury, łąki z miętowego cukru, Umpa-Lumpy, wielka różowa łódka, a przede wszystkim sam pan Wonka — było tak zdumiewające, że bardzo wątpił, czy cokolwiek może go jeszcze zaskoczyć. Dokąd teraz płynęli? Co zobaczą? Co ich jeszcze czeka?

— Czyż to nie wspaniałe? — szepnął dziadek, uśmiechając się do wnuka.

Charlie pokiwał głową i odpowiedział uśmiechem.

Nagle pan Wonka, który siedział po drugiej stronie Charliego, sięgnął na dno łodzi, wziął duży kubek, napełnił go czekoladą z rzeki i podał Charliemu.

— Proszę, pij! To powinno ci dobrze zrobić, bo wyglądasz na bardzo wygłodniałego!

Potem to samo zrobił z drugim kubkiem, który podał dziadkowi Joe.

— Pan też, proszę. Wygląda pan jak kościotrup. Co się stało? Czyżby ostatnio w domu było mało do jedzenia?

— Niewiele — przyznał dziadek.

Charlie przytknął kubek do warg, a kiedy ciepła, gęsta czekolada spłynęła do jego pustego brzucha, poczuł, jak całe ciało od czubka głowy po końce palców napełnia poczucie szczęścia.

— Smakuje? — spytał pan Wonka.

— Ach, wspaniała! — szepnął Charlie.

— Nigdy w życiu nie miałem w ustach smaczniejszej czekolady! — oświadczył dziadek Joe, dotykając swych ust.

— To dlatego, że została ubita w wodospadzie — powiedział pan Wonka.

Łódka płynęła w dół rzeki, która tymczasem zaczęła się zwężać. Przed nimi ukazał się czarny tunel, przypominający ogromną rurę, do której z szumem wlewała się rzeka, unosząc ze swym nurtem łódkę i ich pasażerów.

— Dobrze teraz wiosłować! — krzyknął pan Wonka, zrywając się z ławki i wymachując laseczką. — Ze wszystkich sił!

Umpa-Lumpy zaczęły wiosłować jeszcze szybciej niż poprzednio, a kiedy łódka wpłynęła w czarny tunel, wszyscy pasażerowie zakrzyknęli rozgorączkowani.

— Skąd one wiedzą, dokąd płyną? — histerycznie wrzasnęła Violet Beauregarde, która z przerażeniem patrzyła w czarną otchłań.

— Bo też i wcale nie wiedzą! — zawołał pan Wonka i zaniósł się śmiechem.

Bo pojęcia też nie mają,
Dokąd łódką tą zmierzają!
Kędy nurty chyżo pchają,
Tam na oślep pomykają!
Więc i grozy narastają,
A wioślarze wciąż wiosłują,
Niczym też nie pokazują,
Że choć trochę przystopują...

— Odbiło mu! — wykrzyknął przerażony jeden z ojców, a zaraz zawtórowała mu cała reszta rodziców:

— Zbzikował!
— Oszalał!
— Zwariował!
— Ześwirował!
— Sfiksował!
— Zidiociał!
— Jest pomylony!
— Głupawy!
— Szurnięty!
— Kopnięty!
— Stuknięty!
— Oszołom!
— Wcale n i e! — sprzeciwił się dziadek Joe.
— Zapalić światła! — polecił pan Wonka.
W jednej chwili rozbłysły światła i w tunelu zro-

biło się olśniewająco jasno. Charlie zobaczył, że istotnie znajdują się w wielkiej rurze, której okrągłe ściany są śnieżnobiałe, bez jednej plamki. Czekoladowa rzeka płynęła bardzo szybko, a ponieważ Umpa-Lumpy na dodatek wiosłowały ze wszystkich sił, więc łódka kołysząc się na boki, mknęła przed siebie w wielkim pędzie. Pan Wonka podskakiwał niecierpliwie na rufie i domagał się jeszcze szybszej jazdy. Wydawało się, że to jego ulubiona rozrywka, kiedy bowiem jego życzeniu stało się zadość, zaczął entuzjastycznie klaskać i z uśmiechem rozglądać się po swoich gościach, czy i oni podzielają jego radość.

— Spójrz, dziadku! — zawołał Charlie. — W ścianie są drzwi!

Niemal dokładnie na poziomie czekoladowej rzeki wmontowane były w ścianę zielone drzwi. W przelocie mignął napis: MAGAZYN NR 54. WSZYSTKIE ŚMIETANY: ŚMIETANA TORTOWA, ŚMIETANA PONCZOWA, ŚMIETANA BITA, ŚMIETANA KAWOWA, ŚMIETANA ANANASOWA, ŚMIETANA WANILIOWA, ŚMIETANKA DO WŁOSÓW.

— Śmietanka do włosów?! — wrzasnął Mike Teavee. — Chyba nie używacie tutaj śmietanki do włosów?

— Wiosłować! — komenderował pan Wonka. — Nie mamy czasu na głupie pytania!

Przemknęły kolejne drzwi, tym razem czarne, z napisem: MAGAZYN NR 71. BICZE, PEJCZE, BATOGI.

— Bicze! Batogi! — odczytała z niedowierzaniem Veruca Salt. — Po co wam tutaj bicze?

— Jak to po co? — odparł pan Wonka. — Do bicia śmietany. Śmietana nigdy nie będzie ubita, jeśli się jej nie potraktuje solidnie biczami. Podobnie jak nie zrobisz jajek sadzonych bez stołka do posadzenia. Wiosła! Wiosła!

Na żółtych drzwiach dojrzeli napis: MAGAZYN NR 77. WSZYSTKIE ZIARNA: KAKAOWE, KAWOWE, GALARETKOWE, DZIEWKOWE.

— D z i e w k o w e?! — nie wytrzymała Violet Beauregarde.

— Nie czas na wyjaśnienia! — krzyczał pan Wonka. — Szybciej, szybciej!

Ale pięć sekund później, gdy ukazały się jasnoczerwone drzwi, gwałtownie machnął laseczką o złotej skuwce i polecił:

— Zatrzymać łódź!

19. Hala Wynalazków — niezniszczalne stopdropsy i toffi włosiane

Kiedy pan Wonka krzyknął: „Zatrzymać łódź!", Umpa-Lumpy naparły na wiosła i z furią zaczęły nimi poruszać w przeciwnym kierunku. Szybko się zatrzymali, Umpa-Lumpy zaś zręcznie przybiły łodzią do drzwi, na których napisano: HALA WYNALAZKÓW. UWAGA: WSTĘP WZBRONIONY. Pan Wonka sięgnął do kieszeni, wyjął z niej klucz i przechylony przez burtę włożył go do zamka.

— To najważniejsze miejsce w całej fabryce! — oznajmił. — Wszystkie moje sekretne wynalazki tutaj dojrzewają! Poczciwy Fickelgruber oddałby przednie zęby za to, żeby go wpuścić do środka chociażby na trzy minuty! Tak samo Prodnose, Slugworth i cała ta reszta czekoladowych parszywców. A teraz, uwaga! Kiedy znajdziemy się w środku, nie życzę sobie żadnych nieporządków! Nikt niczego nie dotyka, nie smakuje, nikt nigdzie nie pcha nosa! Zrozumiano?

— Tak, tak! — zawołały dzieci. — Niczego nie będziemy dotykać.

— Bo jak dotąd nikt, nawet żadna z Umpa--Lump nie miała tutaj wstępu.

Pan Wonka otworzył drzwi, zrobił duży krok ponad progiem i znalazł się w hali. W ślad za nim poszła czwórka dzieci i ich rodzice.

— Nie dotykać! — powtórzył pan Wonka. — I niczego nie przewracać!

Charlie Bucket zaciekawiony rozejrzał się po ogromnej hali. Przypominała wielką kuchnię czarownic! Wielkie czarne rondle bulgotały na piecach, patelnie syczały, z czajników unosiły się kłęby pary, dziwne żelazne maszyny szczękały i klekotały, sufit i ściany pokrywała plątanina rur, a całe to pomieszczenie wypełniały dym, para i cudowne zapachy.

Sam pan Wonka wydawał się nagle jeszcze bardziej podekscytowany niż poprzednio; łatwo było zgadnąć, że to jego ulubione miejsce w fabryce. Miotał się między naczyniami i maszynami jak dziecko nie wiedzące, który z prezentów gwiazdkowych najpierw rozpakować. Zdjął pokrywę z wielkiego garnka i pociągnął nosem; podskoczył do beczki z jakąś żółtą substancją, zanurzył w niej palce i posmakował; podbiegł do jednego z automatów i zaczął kręcić gałkami w różne strony; zajrzał przez szybkę do wnętrza wielkiego pieca i uradowany tym, co dostrzegł, potarł z entuzjazmem dłonie. Na koniec przemknął do niewielkiego, lśniącego urządzenia, w którym nieustannie się coś obracało „łup, łup, łup", a przy każdym „łup" do ustawionego na posadzce pojemnika wpadała duża zielona kostka. Tak to przynajmniej z daleka wyglądało.

— Niezniszczalne stopdropsy! — zawołał z dumą pan Wonka. — Absolutna nowość! Wynalazłem je dla dzieci, które dostają małe kieszonkowe. Wkładasz stopdropsa do ust, ssiesz go, ssiesz i ssiesz, i ssiesz, a on ani odrobinę nie maleje!

112

— To zupełnie jak guma! — zauważyła Violet Beauregarde.

— Wcale n i e! — sprzeciwił się pan Wonka. — Gumę się żuje, a gdybyś spróbowała pożuć jeden z tych stopdropsów, złamałabyś sobie ząb. I n i g d y nie maleją! N i g d y się nie kończą! NIGDY! A przynajmniej tak mi się zdaje. W tej właśnie chwili jeden z nich poddawany jest próbie w Hali Testowej. Ssie go jedna z Umpa-Lump. Robi to już od roku, a stopdrops jest taki sam jak na początku. Ale dość już o tym! Proszę tutaj! — Pan Wonka pomknął pod przeciwną ścianę, gestami przyzywając swych gości. — Zupełnie nowy gatunek toffi!

Odsłonił wielką patelnię, na której bulgotał gęsty, purpurowy, kleisty syrop. Mały Charlie musiał się wspiąć na koniuszki palców, a i tak ledwie co widział.

— Oto toffi włosiane! — zaanonsował pan Wonka. — Wystarczy skosztować odrobinkę, a po półgodzinie na głowie zaczyna ci wyrastać nowiutka kępka gęstych, ślicznych włosów. Także wąsy! I broda!

— Broda! — wrzasnęła Veruca Salt. — Na miłość boską, kto chce nosić brodę?

— Tobie byłoby z nią bardzo do twarzy, ale niestety substancja nie jest jeszcze gotowa do użytku. Wyszła mi trochę za mocna i działa zbyt silnie. Wczoraj w Hali Testowej wypróbowałem ją na jednej Umpa-Lumpie i natychmiast zaczęła jej rosnąć wielka czarna broda, i to tak szybko, że nawet nie obejrzałem się, a już całą posadzkę pokrywało coś w rodzaju dywanu. Rosła tak szybko, że nie mogliśmy nadążyć z jej przycinaniem, aż wreszcie musieliśmy skorzystać z kosiarki do trawników! No ale wnet ustalę odpowiednie proporcje, a wtedy już żaden chłopiec i żadna dziewczynka z łysiną nic nie będą mieć na swoje usprawiedliwienie!

— Za przeproszeniem — wtrącił się Mike Teavee — ale chłopcy i dziewczynki n i g d y...

— Nie spieraj się ze mną, młody przyjacielu, nie spieraj się, b ł a g a m cię! Proszę t ę d y, a pokażę wam coś, z czego jestem naprawdę dumny! I jeszcze raz proszę o uwagę! Żadnych stłuczek!

20. Wielka gumiarka

Teraz pan Wonka poprowadził wszystkich do gigantycznej maszyny, która zajmowała miejsce w samym środku Hali Wynalazków. Ta ogromna góra błyszczącego metalu wznosiła się bardzo wysoko i była wyższa nie tylko od dzieci, ale także od ich rodziców. Od jej szczytu odchodziły setki i setki szklanych rurek, które skręcały się, schodząc w dół, a potem łączyły się nad niesłychanie dużą kadzią.

— Zaczynamy!

Pan Wonka nacisnął trzy guziki na ściance machiny, która sekundę później zaczęła wydawać potężne huczące dźwięki, cała z hukiem się zatrzęsła, otoczyła kłębami pary, a po dłuższej chwili nagle wszyscy zobaczyli, jak setkami małych szklanych rurek zaczyna spływać jakaś maź i wlewać się do kadzi. A ponieważ w każdym szklanym przewodzie substancja miała inną barwę, więc można było pomyśleć, że to płynna tęcza ścieka do gigantycznego zbiornika. Widok był naprawdę cudowny. Gdy kadź napełniła się niemal po brzegi, pan Wonka nacisnął inny guzik, rurki zrobiły się puste, a w maszynie rozległo się jakieś głośne wirowanie i zaraz wielka wirówka zaczęła wirować w kadzi, splatając różnobarwne pasma niczym w mikserze i sprawiając, że mieszanina stawała się coraz bardziej pulchna. Zarazem zmieniała barwę: z niebieskiej zrobiła się biała, potem zielona, brązowa, żółta i znowu niebieska.

— Patrzcie uważnie! — zakomenderował pan Wonka.

W maszynie nagle coś p s t r y k n ę ł o i wirówka wolno się zatrzymała. Teraz wszyscy posłyszeli odgłos ssania i bardzo szybko cała ta niebieska, pienista substancja zniknęła w trzewiach maszyny. Nastała chwila ciszy, a potem kilka razy coś się zakotłowało i znowu cisza. Wreszcie maszyna głucho stęknęła, a jednocześnie z jej ścianki wysunęła się szufladka (nie większa od tej, która jest w automacie z czekoladkami). W środku leżało coś malutkiego, szarego i cienkiego. Nie było osoby, która nie pomyślałaby, że to musi być jakaś pomyłka. Ta dziwna rzecz bardzo przypominała szary bilet.

Wszyscy — zarówno dzieci, jak i rodzice — podejrzliwie zaglądali do szufladki pewni, że to jakaś pomyłka.

— I to już w s z y s t k o? — z pretensją w głosie spytał Mike Teavee.

— Wszystko — spoglądając dumnie na rezultat, potwierdził pan Wonka. — Nie wiecie, co to takiego?

Zapadło milczenie, aż wreszcie Violet Beauregarde, dziewczynka ciągle poruszająca szczękami, podskoczyła z okrzykiem:

— Ale to przecież guma, g u m a! Kawałek gumy do żucia!

— Masz rację! — Pan Wonka z rozmachem mocno klepnął Violet w ramię. — To jest kawałek najbardziej niezwykłej, bajecznej i fantastycznej gumy do żucia!

21. Pa, pa, Violet!

— Ta guma — ciągnął pan Wonka — to mój największy, najnowszy, najbardziej fascynujący wynalazek! Oto posiłek żucio-gumowy! Wierzcie mi, w tym niepozornym kawałku gumy zawarty jest cały trzydaniowy obiad!

— Co to znowu za bzdury? — odezwał się któryś z ojców.

— Drogi panie! — entuzjazmował się pan Wonka. — Od chwili, kiedy zacznę to sprzedawać w sklepach, zmieni się absolutnie w s z y s t k o! Koniec kuchni i gotowania! Koniec sklepów spożywczych! Nie trzeba już będzie kupować mięsa i jarzyn! Żadnych więcej sztućców, żadnych talerzy! Koniec ze zmywaniem, babraniem się w resztkach i odpadkach! Wystarczy kawałeczek magicznej gumy do żucia Wonki — i macie już wszystko, co daje śniadanie, obiad i kolacja! Tutaj akurat mamy zupę pomidorową, befsztyk i placek jagodowy, ale można skomponować wszystko, co tylko zechcecie!

— J a k to: zupa pomidorowa, befsztyk i placek jagodowy? — spytała nieufnie Violet Beauregarde.

— Zacznij tylko żuć, a poczujesz się dokładnie jak w restauracji, kiedy przyniosą ci taki posiłek. To absolutnie zdumiewające! Po prostu c z u j e s z, jak te potrawy z ust przechodzą do twego żołądka! Smakują cudownie i wspaniale zaspokajają głód!

Jesteś po tym zupełnie najedzona! Czy to nie jest niezwykłe?

— E tam, to niemożliwe! — Veruca Salt wzruszyła ramionami.

— Zaraz, zaraz — wtrąciła się Violet Beauregarde — jeśli to rzeczywiście kawałek gumy i można ją żuć, to przecież coś d o k ł a d n i e dla mnie. — Szybkim ruchem wyjęła z ust swą rekordową gumę, przylepiła ją sobie za lewym uchem i wyciągnęła rękę. — Dobrze, daj ją pan tu i zaraz sprawdzimy, jak działa.

— Nie, kochanie — sprzeciwiła się pani Beauregarde — nie rób żadnych głupstw.

— Chcę tę gumę i już! — upierała się Violet. — To żadne głupstwa!

— Nie, lepiej nie próbuj — przestrzegł ją grzecznie pan Wonka. — Widzisz, jeszcze n i e w s z y s t k o jest do końca rozwiązane. Ciągle trzeba poprawić jedną czy dwie...

— Chrzanić to! — opryskliwie burknęła Violet i zanim pan Wonka zdążył ją powstrzymać, wyciągnęła swą tłustą dłoń, porwała z szufladki kawałek gumy i wepchnęła sobie do ust. Natychmiast jej szczęki zaczęły się poruszać jak potężne kleszcze.

— Nie! — krzyknął pan Wonka.

— Super! — oznajmiła Violet. — Najprawdziwsza zupa pomidorowa! Jaka gęsta, jaka smaczna! Czuję, jak spływa mi do gardła!

— Wypluj! — nie ustępował pan Wonka. — Guma nie jest jeszcze gotowa! Zaszkodzi ci!

— A tam, nie jest gotowa! — obruszyła się Violet. — Smakuje cudownie! To moja ulubiona zupa!

— Wypluj natychmiast! — rozkazał pan Wonka.

— Zmienia się! — krzyknęła Violet, która nie przerywała żucia, jednocześnie wesoło się uśmiechając. — Idzie drugie danie! Befsztyk! Jaki soczysty i miękki! Ach, cóż za smak, mówię wam! I jeszcze pieczone ziemniaki! Jaka chrupiąca skórka! A w środku masło!

Pani Beauregarde najwyraźniej zmieniła zdanie.

— Wspaniale, Violet! Ależ cudowna z ciebie dziewczynka!

— Tak, tak, żuj dalej! — przyłączył się ojciec. — Żuj, nie ustawaj! To wielki dzień w dziejach rodziny! Nasza córka jest pierwszą na świecie osobą, która spożywa posiłek z gumy do żucia!

Wszyscy patrzyli na Violet Beauregarde żującą tę niezwykłą gumę. Mały Charlie Bucket i dziadek Joe stali jak urzeczeni i wpatrywali się w rytmiczny ruch grubych różowych warg. I tylko pan Wonka załamywał ręce, mówiąc:

— Nie, nie, nie, nie, nie! Ona się jeszcze nie nadaje do spożycia! Nie powinnaś tego robić, o nie!

Ale Violet niczym się nie przejmowała.

— Placek jagodowy z kremem! — wrzasnęła. — Już jedzie! Przepadam za nim! Ale super!! Ach... zupełnie jakbym żuła kęs najcudowniejszego placka jagodowego na świecie!

— Wielkie nieba, córeczko! — nagle zawołała pani Beauregarde, patrząc na Violet. — A co to się stało z twoim noskiem?

— Mamo, nie przeszkadzaj! — obruszyła się dziewczynka. — Daj mi skończyć!

— Robi się granatowy! — krzyczała przerażona pani Beauregarde. — Jak dojrzała jagoda.

— Matka ma rację! — wtórował jej mąż. — Nos fioletowieje!

— O c o ci chodzi?! — spytała Violet, nie przerywając żucia.

— I policzki! — zawodziła pani Beauregarde. — Także robią się granatowe! Broda! Boże, cała twarz!

— Wypluj tę gumę natychmiast! — polecił pan Beauregarde.

— Ratunku! Pomocy! — darła się matka Violet.

— Córka mi zgranatowiała! Nawet jej włosy zmieniły kolor. Violet, robisz się violetowa, tfu, to znaczy: fioletowa. C o się z tobą dzieje?

— A o s t r z e g a ł e m, że nie powinna tego robić — westchnął pan Wonka i ze smutkiem pokiwał głową.

— Trzeba było jej nie pozwolić, a nie tylko gadać! — oburzyła się pani Beauregarde. — I co teraz z nią będzie?

Nikt nie mógł oderwać oczu od nieszczęśnicy, ale teraz był to okropny i dziwny widok. Jej twarz, całe ciało, kończyny, skóra, białka oczu, włosy — wszystko zrobiło się granatowe jak sok jagodowy!

— Zawsze coś zaczyna się psuć, jak przychodzi do deseru! — oznajmił odrobinę zakłopotany pan Wonka. — To ten placek jagodowy! Ale poradzę sobie z tym któregoś dnia, jeszcze zobaczycie!

Tymczasem pani Beauregarde miała już następny powód do strachu.

— Violet, ty puchniesz!

— Niedobrze mi! — oznajmiła Violet.

— Puuuuchniesz! — zawyła matka.

— Dziwnie się czuję! — wydyszała córka.

— No ja myślę! — wykrzyknął pan Beauregarde.

— Wielkie nieba, dziecino! — zawodziła pani Beauregarde. — Nadymasz się jak balon!

— Albo jak jagoda! — podrzucił pan Wonka.

— Trzeba wezwać lekarza! — krzyknął stanowczo ojciec dziewczynki.

— A może by ją nakłuć szpilką? — zaproponował inny z ojców.

— Ratujcie mi córkę! — błagała matka Violet, załamując ręce.

Ale nie było już ratunku. Ciało dziewczynki tak

gwałtownie puchło, że już po chwili wyglądało zupełnie jak gigantyczny granatowy balon — czy może: monstrualna jagoda — a to, co przypominało Violet Beauregarde, to tylko sterczące z wielkiego owocu nóżki, rączki i główka.

— Z a w s z e się na tym kończy! — westchnął pan Wonka. — Dwadzieścia razy próbowałem na Umpa-Lumpach w Hali Testowej i każda zamieniała się w jagodę. Zadziwiające, zupełnie tego nie rozumiem.

— Ale ja nie chcę mieć jagody za córkę! — jęknęła pani Beauregarde. — Proszę jej bezzwłocznie przywrócić dawny kształt!

Pan Wonka pstryknął palcami i natychmiast pojawiło się nie wiadomo skąd dziesięć Umpa-Lump.

— Proszę potoczyć pannę Beauregarde do łodzi i bezzwłocznie odstawić do Hali Soczystej!

— H a l i S o c z y s t e j?! — wrzasnęła pani Beauregarde. — I co tam z nią zrobią?

— Wycisną — odparł pan Wonka. — Trzeba z niej jak najszybciej odcisnąć sok, a potem zobaczymy, co z niej zostanie. Ale proszę się nie lękać, szanowna pani. Jeśli będzie trzeba, bardzo skrupulatnie ją naprawimy. Bardzo mi przykro, że tak się stało, proszę mi wierzyć...

Tymczasem dziesięć Umpa-Lump toczyło już wielką jagodę po posadzce Hali Testowej w kierunku drzwi, gdzie na czekoladowej rzece czekała łódź. W ślad za nimi pospieszyli państwo Beauregarde. Cała reszta wycieczki, łącznie z Charliem Bucketem i jego dziadkiem, patrzyła na to w milczeniu.

— Słyszysz, dziadku? — szepnął Charlie. — Słyszysz? Te Umpa-Lumpy w łódce znowu zaczynają śpiewać.

I rzeczywiście do sali wpłynął chóralny — głośny i czysty — śpiew setki gardeł:

Zgodzimy się chyba wszyscy, przyjaciele moi,
Że rzecz to najwstrętniejsza, jak świat światem stoi,
Gdy mała dziewczynka — ach, czasy, obyczaje! —
Nic innego nie robi, tylko gumę żuje
(Co może ostatecznie przyrównałoby się
Do dość ohydnego dłubania palcem w nosie).
Mamy wszakże nadzieję, że nam uwierzycie:
Przenigdy nie popłaci przesadne gumy żucie,

Albowiem kto przy wadzie takiej wciąż obstaje,
Ten koniec bardzo smutny sam sobie zgotuje.
Czyście o katastrofie żałosnej słyszeli,
Którą los pewną pannę niczym młotem zdzielił?
Nic by innego Miss Bigelow nie czyniła,
Tylko przez dzionek cały gumę sobie żuła.
Żuła gumę w wannie, żuła na sedesie,
Żuła stale w tramwaju, żuła w autobusie,
Żuła na zakupach, w dyskotece żuła,
Co zdaniem niektórych zmieniało ją w muła.
A kiedy tak się czasem niefortunnie działo,
Że tej gumy okropnej pod ręką nie stało,
Brała się do żucia wszystkiego, co popadło:
Niekiedy para butów, czasem — prześcieradło,
Kiedyś listonosz biedny ucha nie uchronił,
Chociaż bardzo zażarcie i dzielnie się bronił.
A ponieważ zaciekle wciąż żuła i mocno,
To mięśnie szczękowe poczęły tak rosnąć,
Że jej broda sterczała z całej reszty lica
Niczym z parapetu pokraczna donica.
No i tak to się działo całymi latami,
Pięćdziesiąt paczek dziennie, mówiąc między nami,
Aż wreszcie, gdy się lato gorącem pyszniło,
Coś nader niemiłego jej się przydarzyło.
Do snu się jak co wieczór Miss Bigelow kładzie,
Jeszcze trochę poczyta, nic wszak nie poradzi,
Że się bez poczytania powieki nie domkną,
Szczęki — czy trzeba wspomnieć? — na chwilę nie
                                    spoczną,
Umieszcza w końcu książkę na blacie stolika,
Guma na tacce spocznie zaraz przy budziku,
I sen się już rozsiada w Miss Bigelow główce

(By mu trochę dopomóc, liczy sobie owce).
Cóż to jednak za dziwy! Wprawdzie już zasnęła,
Ale nie zarzuciły szczęki swego dzieła
I dalej niestrudzenie jak za dnia działają,
Aczkolwiek nic już teraz do żucia nie mają!
W taki bowiem popadły przymus poruszania,
Że nie mogą powstrzymać się od rozgniatania,
Chociażby do miażdżenia nic wcale nie było,
A ponieważ wszak ciemno i cicho jest w koło,
To wcale nie potrzeba mieć słuchu czułego,
Aby się zorientować, jak wiele głośnego
Harmidru się rozgrywa w owej panny łożu.
Aż się wreszcie znienacka szczęki, chaps, otworzą
I zgrzytnąwszy rozgłośnie i nader pokracznie,
Język jej na dwie części przegryzą skutecznie.
Dzisiaj dla Miss Bigelow guma nic nie znaczy,
Nie tylko, że nie żuje, ale wytłumaczyć,
O co chodzi, niełatwo z połówką języka.
Jakiż to smutny finał durnego nawyku!
Z tego też się powodu zawzięłyśmy twardo,
By próbować ratować pannę Beauregarde
Przed losem, co podobnie nieszczęsny i głupi,
Nawet kiedy się sama do tego nie kwapi.
Nie jest jeszcze późno, niejedna przed nią wiosna,
Byle tylko kurację naszą jednak zniosła.
Czy tak się jednak stanie? Ach, tego nie wiemy.
Będzie to, co być ma. Trzeba trwać w nadziei.

22. Korytarze

— Tak, tak, tak — pokiwał głową pan Wonka. — Dwoje nieposłusznych dzieci zniknęło, ale została trójka dobrych. No cóż, zostawmy w spokoju to pomieszczenie, zanim stracimy kogoś jeszcze!

— Przepraszam pana — niepewnie odezwał się Charlie Bucket — ale czy Violet Beauregarde k i e- d y ś wydobrzeje, czy już na zawsze pozostanie jagodą?

— Odciągną z niej sok i znowu będzie taka jak dawniej! Wsadzą ją do wyciskarki i zrobi się chuda jak nitka!

— Ale czy dalej będzie niebieska na całym ciele?

— Będzie f i o l e t o w a! — zawołał pan Wonka. — Soczyście fioletowa od stóp do głów! No ale tak to już jest, kiedy się przez cały dzień tylko żuje gumę.

— Ale jeśli guma jest taka okropna, to dlaczego sam pan ją robi w swojej fabryce? — spytał Mike Teavee.

— Bardzo byłbym rad, gdybyś przestał tak mruczeć pod nosem — obruszył się pan Wonka. — Nie mogę zrozumieć ani słowa. Tak czy owak, proszę za mną! Szybko! Znowu czekają nas korytarze!

Z tymi słowami pan Wonka ruszył w kąt Hali Wynalazków i otworzył niewielkie drzwi skryte za plątaniną rur i piecami. Troje pozostałych dzieci —

Veruca Salt, Mike Teavee i Charlie Bucket — oraz pięcioro towarzyszących im dorosłych pośpieszyło jego śladem.

Charlie zauważył, że z powrotem znaleźli się na jednym z tych długich różowych korytarzy, z którymi co i rusz krzyżowały się inne przejścia. Pan Wonka gnał przodem, skręcając w lewo i w prawo, i w prawo, i w lewo, a dziadek Joe nieustannie powtarzał:

— Trzymaj mnie mocno za rękę, Charlie. Okropnie byłoby się tu zgubić.

— Dość już tego guzdrania — terkotał pan Wonka. — W takim tempie n i g d z i e nie dotrzemy!

Mknął przed siebie nie kończącą się plątaniną różowych korytarzy, przy każdym kroku cylinder podskakiwał mu na głowie, a poły fraka łopotały niczym chorągwie. Nie pozwalał zatrzymać się przy żadnych drzwiach, powtarzając za każdym razem:

— Nie mamy czasu! Dalej! Dalej!

Mijali teraz jedne drzwi za drugimi. Były one znacznie gęściej rozmieszczone, mniej więcej co dwadzieścia kroków, na każdych było coś napisane, a zza nich dochodziły intrygujące dźwięki, podczas gdy z dziurek od klucza dobywały się smakowite aromaty, niekiedy zaś wypływały z nich smużki pary.

Dziadek Joe i Charlie musieli lekko truchtać, żeby nadążyć za panem Wonką, ale od czasu do czasu udawało im się odczytać jakiś napis. Na przykład:

JADALNE PODUSZKI Z PIANKI ŻELOWEJ.

— Ach, te jadalne poduszki z pianki żelowej! — zakrzyknął pan Wonka. — Jak znajdą się w sklepach, wybuchnie szał kupowania. Ale nie mamy czasu tam zaglądać! Chodźcie!

DO BAWIALNI TAPETY SMAKOWE — zobaczyli napis na innych drzwiach.

— Świetne do lizania! — zawołał pan Wonka, nie zwalniając kroku. — Na tapecie są obrazki owoców: bananów, jabłek, pomarańcz, grejpfrutów, ananasów, czerwonych porzeczek, czarnych porzeczek, spornych czapeczek...

— S p o r n y c h c z a p e c z e k? — nie wytrzymał Mike Teavee.

— Nie przerywaj mi, proszę — upomniał go pan

Wonka. — Na tapecie są obrazki jakich tylko chcecie owoców, a kiedy poliżesz wytłoczonego banana — smakuje jak banan. Poliżesz truskawkę — smakuje jak truskawka. A kiedy poliżesz sporną czapeczkę — smakuje dokładnie jak sporna czapeczka...

— To znaczy j a k? — nie dawał za wygraną Mike Teavee.

— Znowu mamroczesz. Musisz mówić głośniej. Nie ma czasu, nie ma czasu!

Na kolejnych drzwiach zobaczyli napis: GORĄCE LODY NA ZIMNE DNI.

— N i e z w y k l e pożyteczne w zimie — zauważył pan Wonka. — Gorące lody są nieocenione podczas mrozów: rozgrzewają aż po koniuszki palców. Robię także gorące kostki lodowe. Dodaje się je do gorących napojów, a te robią się jeszcze cieplejsze.

CZEKOLADOWE MLEKO PROSTO OD KRÓW — przeczytali trochę dalej.

— Ach, to moje ukochanc krówki! — obwieścił pan Wonka. — Uwielbiam je.

— Ale dlaczego nie możemy na nie choćby s p o j r z e ć? — spytała opryskliwie Veruca Salt. — Dlaczego mijamy w pędzie te wszystkie śliczne hale?

— Staniemy, jak przyjdzie pora! — odrzekł pan Wonka. — Nie bądź tak strasznie niecierpliwa!

LOTNE NAPOJE — oznajmiły następne drzwi.

— Te są naprawdę bajeczne! — zachwycał się pan Wonka. — Mają mnóstwo bąbelków, w których jest specjalny gaz. A ten gaz jest taki l o t n y, że odrywa cię od ziemi i tak wysoko niesie, aż dotykasz głową sufitu i tam zostajesz.

— A jak się wraca na ziemię? — spytał Charlie.

— Puszczasz bąka, rzecz jasna. Długiego, głośnego bąka. Gaz z ciebie wychodzi, a ty opadasz na podłogę! Tyle że nie wolno tego pić na wolnym powietrzu. Nie wiadomo, jak wysoko by cię poniosło. Kiedyś nieopatrznie poczęstowałem jedną starą Umpa-Lumpę w ogrodzie, a ta, myk, pofrunęła w niebo i tyleśmy ją widzieli! Taka to smutna historia. Nigdy więcej już jej nie widziałem, zniknęła na amen.

— Powinna była puścić bąka — powiedział Charlie.

— Jasna sprawa. Stałem tam i krzyczałem: „Puść bąka, pruknij sobie porządnie, bo inaczej nie wrócisz już na dół!" Ale wszystko na nic. Nie wiem — nie mogła czy nie chciała. Może była zbyt dobrze wychowana. Moim zdaniem, może już być na księżycu.

Nagle pan Wonka zatrzymał się gwałtownie przed drzwiami z napisem: GRZECZNE CUKIERKI OCZEKUJĄ NAGOŚCI.

— Stop! Z tych naprawdę jestem dumny. Oczekują nagości. Rzućmy tylko okiem.

23. Grzeczne cukierki oczekują nagości

Wszyscy stłoczyli się pod drzwiami, w połowie szklanymi. Dziadek Joe podniósł Charliego, żeby miał lepszy widok. Za szybą chłopiec zobaczył długi stół, na którym rządek przy rządku leżały małe, białe cukierki. Wyglądały jak normalne irysy, z tym tylko wyjątkiem, że każdy miał na jednej stronie namalowaną śmieszną różową twarzyczkę. Przy drugim końcu stołu Umpa-Lumpy pracowicie malowały twarzyczki na następnych cukierkach.

— Oto i one! — z radością w głosie obwieścił pan Wonka. — Śliczne cukierki, które oczekują nagości!

— A jak one mają czegoś oczekiwać? — prychnął Mike Teavee i wydął usta.

— I jak mają być grzeczne, jak oczekują nagości? — poparła go Veruca Salt. — Trzeba się przed nimi rozbierać czy co?

— Jak to rozbierać? — zdziwił się pan Wonka. — Nic nie mówiłem o żadnym rozbieraniu.

— Mówił pan o n a g o ś c i! — upierała się Veruca Salt. — Phi, też mi grzeczne! Ani myślę się rozbierać.

— Nikt tutaj o niczym takim nie mówi. A są grzeczne, powtarzam, gdyż oczekują nagości.

— To nie są grzeczne! Świntuchy! — piekliła się Veruca.

— Grzeczne! — stanowczo obstawał przy swoim pan Wonka.

— Z pewnością nie!!! — nie dawała za wygraną Veruca.

— Veruca, kochanie, nie zwracaj uwagi na pana Wonkę — odezwał się pan Salt. — On się z ciebie nabija! A swoją drogą — teraz zwrócił się do Wonki — to żarty w bardzo kiepskim guście, mój panie!

— Zamknij się, stary pacanie! — odpowiedział Wonka.

Pan Salt był najwyraźniej oburzony.

— Jak pan śmie?!!

— Dość już tego, zamknąć się i patrzeć!

Pan Wonka wyjął z kieszeni klucz, przekręcił

w zamku, uchylił drzwi, a wtedy... nagle...
Wszystkie cukierki odwróciły się, a kiedy zobaczyły przybyszy, uśmiechnęły się szeroko, najwyraźniej uszczęśliwione i... i gdyby miały rączki, na pewno by pomachały, ponieważ jednak nie miały, więc tylko zaczęły puszczać oczka.

— No i proszę! — triumfował pan Wonka. — Nie mówiłem? Oczekują na gości! Co do tego nie ma dwóch zdań! Proszę, jakie są ucieszone, że ktoś do nich przyszedł!

— Do diaska, ma rację! — rzekł nieco skonfundowany dziadek Joe, ale pan Salt wcale nie był przekonany.

— Zaraz, zaraz — obruszył się. — Przecież mówił pan wyraźnie: „oczekują nagości", a nie „oczekują na gości". Zresztą na drzwiach...

Pan Wonka nie dał mu dokończyć.

— Trzeba słuchać uchem, a nie brzuchem. I dobrze się przyglądać. Czas na nas, nie możemy się tu zatrzymywać.

Kiedy wychodzili, Charlie rzucił okiem na napis i istotnie musiał przyznać, że chociaż mniejsza niż między innymi słowami, była też przerwa między „na" i „gości". W powiększeniu wyglądałoby to tak:
GRZECZNE CUKIERKI OCZEKUJĄ NA GOŚCI.

CUKIERŁYSKI I CUKIERÓWKA — taki napis widniał na następnych drzwiach, a z twarzy pana Salta natychmiast zniknęło naburmuszenie.

— O, to brzmi naprawdę interesująco!

Ale na przekór jego oczekiwaniom pan Wonka nie pozwolił zajrzeć do środka.

— Świetne, naprawdę! Umpa-Lumpy to uwielbiają. Zawsze są od tego trochę... powiedzmy, rozochocone. Słychać, jak tam baraszkują!

Istotnie zza drzwi dochodziły śpiewy, chichoty i odgłosy przepychaniny.

— Czasami nieźle mają w czubie. Cukierłyski najbardziej lubią z wodą mineralną. A cukierówkę z colą albo sokiem pomarańczowym. No już, już, proszę za mną! Naprawdę nie możemy się tu zatrzymywać!

Skręcił w lewo. Skręcił w prawo. Dotarli do wysokich schodów. Pan Wonka zjechał po poręczy, trójka dzieci uczyniła to samo. Pani Salt i pani Teavee miały już serdecznie dość całej wycieczki. Pani Salt, tłusta osoba na krótkich nóżkach, dyszała niczym nosorożec.

— Tędy! — zakomenderował pan Wonka i u stóp schodów pognał w lewo.

— Wo-wolniej! — dyszała pani Salt.

— Nie ma mowy! — odrzekł pan Wonka. — Inaczej nigdzie nie zdążymy.

— A dokąd mamy zdążyć? — spytała Veruca.

— Ile razy mam ci powtarzać, żebyś się uspokoiła? Poczekaj, a zobaczysz.

24. Veruca w Hali Orzechowej

Pan Wonka zatrzymał się przed drzwiami z napisem HALA ORZECHOWA i powiedział:

— No dobrze, odsapnijmy tutaj chwilę. Możecie zajrzeć sobie przez szybę w drzwiach, ale wchodzić nie wolno, pamiętajcie! Do Hali Orzechowej wstęp wzbroniony. Nie można przeszkadzać wiewiórkom!

Wszyscy zaczęli się cisnąć do szklanej połowy drzwi.

— Dziadku! Dziadku! Patrz! Tam! — krzyknął Charlie.

— Wiewiórki! — darła się na cały głos Veruca Salt.

— Cholerka! — mruknął Mike Teavee.

Widok był naprawdę niezwykły. Sto wiewiórek na wysokich stołkach obsiadło wielki okrągły stół i jak oszalałe wydobywały ze skorupek piętrzące się na blacie orzechy laskowe.

— Są specjalnie wyszkolone do orzechów laskowych — wyjaśnił pan Wonka.

— A po co wiewiórki? — spytał Mike Teavee. — Dlaczego nie te Umpa-Lumpy?

— Bo Umpa-Lumpy nie potrafią ich wydobyć w całości, zawsze im się rozpadają na pół. Nikt poza wiewiórkami nie potrafi wyciągnąć ze skorupki c a ł e g o orzeszka laskowego — to jest niezwykle trudne — tymczasem u mnie w fabryce muszą być całe i już! Dlatego musiałem zatrudnić wiewiórki. Przyznajcie sami, czy nie robią tego fantastycznie? Zobaczcie, jak najpierw opukują orzech, czy jest dobry. Kiedy jest pusty, wydaje głuchy dźwięk i dalej się nim nie zajmują, tylko ciskają go do śmieci. Popatrzcie tylko na tę najbliższą! Chyba właśnie dostał się jej pusty!

Malutka wiewiórka zapukała w orzech kłykciami, przekrzywiła łepek, nadstawiła uszu, a następnie cisnęła przez ramię orzech do wielkiej dziury w podłodze.

— Mamoooo! — rozdarła się nagle Veruca Salt. — Ja chcę taką wiewiórkę! Zaraz masz mi ją załatwić!

— Nie bądź śmieszna, kochanie — sprzeciwiła

się matka. — Przecież one wszystkie należą do pana Wonki.

— A co mnie to obchodzi! — obruszyła się Veruca. — Chcę wiewiórkę! Co ja mam w domu? Raptem dwa psy, cztery koty, sześć królików, dwie małe papużki, jedną dużą, trzy kanarki, żółwia, złotą rybkę w słoiku, białą myszkę w klatce i tego głupiego starego chomika. Chcę wiewiórkę i już!

— Dobrze, złotko, już dobrze — uspokajała córkę pani Salt. — Jak tylko wrócimy do domu, zaraz sprawię ci wiewiórkę.

— Ale ja nie chcę byle jakiej! Chcę tresowaną! — krzyczała Veruca.

Pan Salt zrobił krok do przodu i zwrócił się konfidencjonalnie do pana Wonki:

— No sam pan słyszy. — I wyciągnął portfel wypchany pieniędzmi. — Ile to tam może kosztować? Nie krępuj się pan.

— One nie są na sprzedaż — odrzekł Wonka. — Pańska córka nie dostanie żadnej.

— Jak to nie dostanę?! — oburzyła się Veruca. — Zaraz sama sobie wezmę i tyle!

— Nawet nie próbuj! — krzyknął pan Wonka, ale było już za późno, Veruca bowiem szarpnęła za drzwi i wskoczyła do środka.

Ledwie przestąpiła próg, setka wiewiórek przerwała swoje zajęcie i wpatrzyła się w dziewczynkę dwiema setkami czarnych świdrujących oczek. Także Veruca potoczyła po nich wzrokiem, aż wreszcie zatrzymała spojrzenie na najbliższej małej wiewióreczce.

— Dobra! — powiedziała. — Wezmę c i e b i e!

I wyciągnęła ręce, aby chwycić wiewiórkę, ale... Ledwie jej ramię zaczęło się unosić, nagle mignęło coś w powietrzu, trochę jak brązowa błyskawica, i naraz wszystkie wiewiórki znalazły się na Veruce.

Dwadzieścia pięć zawisło na jej prawej ręce i pociągnęło w dół.

Dwadzieścia pięć zawisło na jej lewej ręce i pociągnęło w dół.

Dwadzieścia pięć wczepiło się w prawą nogę i przydusiło do ziemi.

Dwadzieścia c z t e r y przydusiły do ziemi lewą nogę.

A jedna, która pozostała (najpewniej przewodniczka stada), migiem wspięła się na bark dziewczynki i zaczęła stukać w jej głowę.

— Ratunku! — krzyknęła pani Salt. — Veruca! Wracaj czym prędzej! Co one jej r o b i ą?!

— Sprawdzają, czy nie jest złym orzechem — odparł pan Wonka. — Patrzcie.

Veruca rozpaczliwie chciała się uwolnić, ale pochwycona nie mogła ani drgnąć, a uparta wiewiórka kłykciami opukiwała jej głowę.

A potem znienacka zgodnym wysiłkiem wiewiórki przewróciły Verucę i zaczęły ją nieść tuż nad posadzką.

— Ona chyba rzeczywiście musi m i e ć pusto w głowie — powiedział pan Wonka. — Zdaje się, że uznały ją za zepsuty orzech.

Veruca darła się wniebogłosy, ale w żaden sposób nie mogła się wyswobodzić z uchwytu małych pazurków.

Pani Salt nie posiadała się z przerażenia.

— Dokąd one ją niosą?

— Tam, gdzie trafiają wszystkie zepsute orzechy — wyjaśnił pan Wonka. — Do otworu na śmieci.

— Niech mnie diabli, one rzeczywiście c h c ą ją tam wrzucić! — poinformował pan Salt z nosem wlepionym w szybę!

— To ją ratuj! — histerycznym głosem zażądała pani Salt.

Pan Wonka pokręcił głową.

— Za późno. Już poleciała w dół!

I miał rację.

— Ale dokąd, dokąd? — Pani Salt rozpaczliwie zamachała rękami. — Co się dzieje z zepsutymi orzechami? Gdzie uchodzi ten otwór?

— Ten właśnie otwór prowadzi do głównego przewodu odprowadzającego nieczystości spływające z całej fabryki: kurze z podłogi, obierki z ziemniaków, zgniłe liście kapusty, rybie łby i takie tam inne.

— Też coś, a skąd w fabryce c z e k o l a d y ryby, ziemniaki i kapusta? — prychnął drwiąco Mike Teavee.

— Przecież muszę coś jeść — powiedział pan Wonka. — Chyba nie myślisz, że jak Umpa-Lumpa żywię się tylko ziarnem kakaowym?

— Ale... ale... ale dokąd prowadzi ten główny przewód? — nie ustępowała pani Salt. — Przecież gdzieś się kończy.

— Do pieca, oczywiście. Tam się wszystko spala.

Pani Salt oworzyła swe ogromne czerwone usta i zaczęła wrzeszczeć.

— Ale proszę nie upadać na duchu, zawsze jest szansa, że dzisiaj go jednak nie rozpalili.

Pani Salt nareszcie przemówiła.

— S z a n s a!!!! — krzyknęła. — Moja kochana Veruca! Upieką ją... jak... jak... na grillu!

— Tak, tak, kochanie, masz najzupełniejszą

rację — powiedział jej małżonek i popatrzył surowo na Wonkę. — Posłuchaj mnie pan, panie, tego... jak tam... Wonka. T e r a z posunął się już pan odrobinę za daleko. Można nie lubić mojej córki — nie zależy mi na tym, żeby się wszystkim podobała — ale to jeszcze nie powód, żeby ją, tego... do pieca, jak bułeczkę czy kiełbaskę. Muszę powiedzieć wyraźnie, że teraz bardzo już jestem poirytowany.

— Ależ zupełnie niepotrzebnie, szanowny panie! — odparł pan Wonka, który najwyraźniej nic sobie nie robił z irytacji Salta. — Jestem pewien, że wcześniej czy później ją państwo zobaczycie. Nawet nie wiem, czy na pewno daleko poleciała. Mogła ugrzęznąć w otworze zaraz pod podłogą, a w t a k i m przypadku wystarczy, żebyście państwo tam poszli i ją wyciągnęli.

Słysząc to, państwo Salt nie czekali ani chwili, tylko wpadli do Hali Orzechowej i rzucili się do wielkiej dziury w posadzce.

— Veruco! — krzyknęła pani Salt. — Jesteś tam, kochanie?!

Nie było odpowiedzi.

Pani Salt nachyliła się więc jeszcze bardziej, żeby lepiej widzieć. Klęczała dosłownie na krawędzi, głowę trzymała nad samym otworem, a jej potężny zadek sterczał niczym ogromny grzyb. To była niebezpieczna pozycja. Trzeba tylko było delikatnego pchnięcia... leciutkiego trącenia w odpowiednie miejsce... I t o właśnie zrobiły wiewiórki! Poleciała więc pani Salt, poleciała, a frunąc głową w dół, jazgotała jak papuga.

— To ci dopiero! — zafrasował się pan Salt,

wpatrzony w znikającą w otworze żonę. — Ileż to dzisiaj wydarzeń! — Żona zniknęła właśnie w ciemnościach. — Angino, jak tam jest w dole? — zawołał i pochylił się niżej.

W mig pojawiły się za nim wiewiórki i...

— Ratunku! — krzyknął.

Nikt jednak nie mógł mu pomóc. Pan Salt zniknął w dziurze, tak jak jego żona, a jeszcze wcześniej — córka.

— Och! — Charlie, który jak pozostali przypatrywał się temu wszystkiemu, chwycił się za głowę.

— I co teraz z nimi będzie?

— Mam nadzieję, że na dole ktoś ich złapie — powiedział pan Wonka.

— A co z tym wielkim piecem? — niepokoił się Charlie.

— Rozpalają go tylko co drugi dzień, może właśnie dzisiaj jest zimny. Trudno powiedzieć... może będą mieli szczęście...

— Ciii! — Dziadek Joe trącił Charliego. — Słuchaj! Mamy następną piosenkę!

Gdzieś daleko na korytarzu rozbrzmiały bębny, a potem nadpłynął śpiew Umpa-Lump.

Miss Salt Veruca, laska przebrzydła,
Jakby jej nagle wyrosły skrzydła,
W dziurę na śmiecie gracko wleciała.
(Aby się wszakże komu nie zdało,
Że załatwiamy rzecz połowicznie,
Także rodziców pchnęliśmy ślicznie).
Leci Veruca, w dół sobie leci,
A wyjaśnienie będzie na rzeczy,
Że tam na dole, gdzie teraz spada,
Czekać ją będzie cała gromada
Znajomych rodu całkiem innego
Niż ci na górze, bo przyjemnego
Jest w nich niewiele. Łepek zepsuty
Rankiem odcięty od halibuta:
„Witam! Jak się masz! Heja! Cześć! Hejka!
I skąd przybywa też dobrodziejka?"
A dalej jeszcze inne odpadki:
Skórka z kiełbasy, przywiędłe bratki,

Piętka od chleba skąpana w brudzie,
Kotlet, którego nikt nie pogryzie,
Grzebyk złamany, włosów kosmyczek,
Kawałek muszli, pięć szarych myszek,
Które w pułapkę wpadły niestety,
Puszka po piwie, skrawek gazety,
Nadpsuty orzech, gnijąca gruszka,
Kocie odchody, brudna apaszka,
A wszystkie one wioną zapachem,
Jakiego nie chciałby nikt pod dachem.
Takich znajomków nowych Veruca
Pozna, choć wcale prawem kaduka
Nie są bynajmniej jej narzuceni:
Kara to za to, że ktoś się ceni
Wyżej od innych dusz bratnich, ludzi.
Zarazem przecież wszak nie zawadzi
Spytać, czy czasem to sprawiedliwe,
By całą na nią przerzucać winę?
Ma być przywara tylko jej sprawką?
Odpowiedź nie jest wielką zagadką.

25. Wielka szklana winda

— Czegoś takiego nigdy jeszcze doprawdy nie widziałem! — pokiwał głową pan Wonka. — Dzieci znikają niczym króliki! Ale nie ma powodu do zmartwienia! W końcu w s z y s t k i e powrócą.

Przyjrzał się otaczającej go małej grupie. Pozostało tylko dwóch chłopców: Mike Teavee i Charlie Bucket, oraz troje dorosłych: państwo Teavee oraz dziadek Joe.

— Możemy ruszać dalej? — spytał.

— Tak! — zgodnie wykrzyknęli Charlie i dziadek Joe.

— Mnie zmęczyły się nogi — oświadczył Mike Teavee. — Wolałbym obejrzeć telewizję.

— Skoro jesteś zmęczony, to chyba skorzystamy z windy. Jest tutaj. Proszę, wsiadamy!

Wonka podskoczył do znajdujących się po przeciwnej stronie korytarza podwójnych drzwi, które natychmiast się rozstąpiły, i cała szóstka weszła do środka.

— No a teraz zdecydujcie, który guzik nacisnąć! — polecił Wonka.

Charlie rozglądał się zdumiony; takiej windy jeszcze nigdy w życiu nie widział. Wszędzie, nie tylko na ścianach, ale także na s u f i c i e, widział rzędy małych, czarnych przycisków! Musiało być po tysiącu na każdej ze ścian i następny tysiąc na suficie! Przy każdym guziku umieszczono mały napis informujący, gdzie można się dostać po jego naciśnięciu.

— To nie jest normalna winda, która jeździ w górę i w dół — z dumą oznajmił pan Wonka. — Ta może się poruszać na boki, a także na ukos, jeśli ktoś tak zechce! Mogę się nią przenieść do dowolnego miejsca w mojej fabryce, wszystko jedno gdzie! Wystarczy, że nacisnę — i gotowe!

— F a n t a s t y c z n e! — mruknął dziadek Joe, który zafascynowany przyglądał się bezlikowi przycisków.

— A poza tym cała winda jest zbudowana z grubego, ale przejrzystego szkła! — ciągnął pan Wonka. — Wszystko — ściany, drzwi, sufit, podłoga — jest ze szkła!

— Wcale nic nie widać — powiedział naburmuszony Mike Teavee.

— Naciśnij guzik! — poradził pan Wonka. — Każdy z chłopców może sobie wybrać jeden. Dalej! A wszędzie czeka coś ciekawego i fascynującego.

Charlie szybko zaczął odczytywać napisy obok przycisków.

KOPALNIA SKALNYCH CUKIERKÓW — głosił jeden. GŁĘBOKOŚĆ 3 KM.

LODOWISKO. WYPOŻYCZALNIA LODOWYCH ŁYŻEW — informował drugi.

A inne...

PISTOLETY NA SOK TRUSKAWKOWY.

JABŁONKI TOFFI DO ZASADZANIA W KAŻDYM OGRODZIE — WSZYSTKIE ROZMIARY.

WYBUCHOWE CUKIERKI DLA TWOICH WROGÓW.

ŚWIECĄCE LIZAKI DO JEDZENIA NOCĄ W ŁÓŻ-KU.

MIĘTÓWKI DLA SĄSIADA. NA MIESIĄC ZZIE-LENIEJĄ MU ZĘBY.

KARMELKI WYPEŁNIAJĄCE DZIURY. NIGDY WIĘCEJ DENTYSTY.

LEPISTE KRÓWKI DLA GADATLIWYCH RO-DZICÓW.

CUKIERKI WIERCIPIĘTY; BĘDĄ DOKAZYWAĆ W BRZUCHU.

NIEWIDZIALNE BATONIKI CZEKOLADOWE DO JEDZENIA PODCZAS LEKCJI.

CUKIERKOWE OŁÓWKI DO SSANIA.

BASEN Z BĄBELKOWĄ LEMONIADĄ.

MAGICZNA POMADKA RĘCZNA. TRZYMASZ W RĘKU — CZUJESZ W USTACH.

TĘCZOWE DROPSY. PLUJESZ PO NICH W SZEŚ-CIU RÓŻNYCH KOLORACH.

— No już, decydujcie się! — poganiał pan Won-ka. — Nie możemy strawić na namysłach całego dnia!

— A nie ma tu żadnej s a l i t e l e w i z y j n e j? — spytał z pretensją w głosie Mike Teavee.

— Oczywiście, że jest — zapewnił pan Wonka. — Ten guzik, tutaj.

Wszyscy popatrzyli na palec Wonki. Obok wska-zanego guzika widniał napis CZEKOLADA TELE-WIZYJNA.

— Uou! Nareszcie coś dla mnie! — wykrzyknął Mike i kciukiem nacisnął guzik.

Natychmiast rozległ się przeciągły gwizd, drzwi zamknęły się z trzaskiem, a wszyscy drgnęli jak użądleni przez osę, tyle że szarpnęło ich w b o k! A było to szarpnięcie tak mocne, że z wyjątkiem pana Wonki, który zapobiegliwie trzymał się zwisającej z sufitu rączki, wszyscy zwalili się na podłogę.

— No już! Wstawajcie! Co się tak grzebiecie! — krzyczał pan Wonka, serdecznie się zaśmiewając. Kiedy jednak cała piątka zaczęła się podnosić, winda zrobiła ostry zakręt i znowu zwalili się z nóg.

— Pomocy! — zapiszczała pani Teavee.

— Proszę chwycić się mnie — powiedział uprzejmie Wonka, podając jej rękę. — Dobrze, a teraz niech się pani chwyci tej rączki! Wszyscy niech tak zrobią, bo podróż wcale jeszcze nie jest skończona!

Dziadek Joe postąpił zgodnie z sugestią, a mały Charlie, który nie mógł dosięgnąć rączki, dwiema rękami objął jego nogę.

Winda mknęła niczym rakieta. Teraz gnała skosem w górę, jakby pokonywała jakieś strome zbocze. A potem nagle, jakby znalazła się na szczycie i stamtąd runęła w przepaść — zwaliła się jak kamień w dół, a Charlie poczuł, że żołądek wędruje mu do gardła.

— Huraaa! To ci dopiero jazda! — krzyczał dziadek Joe.

— Lina się urwała. Roztrzaskamy się! — rozpaczała pani Teavee, ale pan Wonka uspokajająco poklepał ją po ramieniu.

— Nie, nie, droga pani, wszystko jest w porządku, proszę się nie denerwować.

Dziadek Joe spojrzał na wnuka, który wczepił się w jego nogę, i spytał:

— Jak tam, Charlie? Wszystko w porządku?

— Tak — pisnął chłopiec. — Cudownie! Jak w kolejce górskiej!

A za szklaną ścianą windy przelatywały w wielkim pędzie dziwne i piękne rzeczy:

Ogromny wąż gumowy, z którego na podłogę ściekała jakaś kleista brązowa maź...

Wielka skalista góra z karmelu, na którą wdrapywały się uwieszone na linach Umpa-Lumpy i odrywały wielkie kawały...

Maszyna rozrzucająca cukier puder niczym śnieg...

Jezioro gorącego, parującego karmelu...

Wioska z małymi domkami, uliczkami i setkami bawiących się na nich malutkich, nie większych niż cztery cale dzieci Umpa-Lump...

Winda poruszała się teraz mniej stromo, ale szybciej niż dotąd. Charlie słyszał świst wiatru... winda zaś mknęła... wykręcała... w lewo... w prawo... podskakiwała w górę... opadała w dół... i...

— Niedobrze mi! — słabym głosem oznajmiła pani Teavee, która pozieleniała na twarzy.

— Tylko proszę nie wymiotować! — poprosił pan Wonka.

— A jak mam się powstrzymać? — jęknęła pani Teavee.

— Może pani z tego skorzysta — zaproponował pan Wonka i podsunął matce Mike'a pod usta swój odwrócony do góry dnem czarny cylinder.

— Proszę zatrzymać to okropne urządzenie! — zażądał pan Teavee.

— Nie da rady! Staniemy dopiero, kiedy znajdziemy się na miejscu. Mam tylko nadzieję, że nikt w tej chwili nie używa d r u g i e j windy.

— Jakiej drugiej? — zapiszczała pani Teavee.

— Tej, która jedzie tą samą trasą, tylko w przeciwnym kierunku.

— Do króćset! Sugeruje pan, że możemy się z nią zderzyć? — zaniepokoił się pan Teavee.

— Jak dotąd udawało się tego uniknąć — odrzekł pan Wonka.

— Dopiero t e r a z mi naprawdę niedobrze! — poinformowała pani Teavee.

— Nie, błagam, niech się pani powstrzyma! — powiedział Wonka. — Jesteśmy już prawie na miejscu, a ja oszczędzę swój cylinder!

Po chwili rozległ się szczęk hamulców i winda zaczęła zwalniać, aż w końcu zupełnie znieruchomiała.

— No, no, no — mruknął pan Teavee i chusteczką otarł z potu twarz.

— Ni-nigdy więcej! — ciężko dyszała jego żona.

Drzwi rozsunęły się, ale pan Wonka podniósł rękę w ostrzegawczym geście.

— Proszę mnie uważnie posłuchać! W tej sali wymagana jest szczególna ostrożność. Są tu bardzo niebezpieczne materiały, dlatego proszę n i-c z e g o nie dotykać.

26. Hala Czekolady Telewizyjnej

Rodzina Teavee, dziadek Joe i Charlie wyszli z windy do pomieszczenia tak jasno oświetlonego i tak białego, że aż musieli zamknąć oczy. Pan Wonka wepchnął każdemu w dłoń parę ciemnych okularów, mówiąc:

— Proszę to szybko nałożyć i potem ani na chwilę nie zdejmować! To światło może was oślepić!

Mając już na nosie ciemne okulary, Charlie mógł się swobodnie rozejrzeć. Znajdowali się w długim, wąskim pomieszczeniu, które całe było pomalowane na biało. Na podłodze, także białej, nie było najmniejszego pyłku. Z sufitu zwieszały się wielkie lampy i zalewały wszystko jaskrawym światłem. Pomieszczenie było niemal puste z wyjątkiem dwóch najdalszych rogów.

W jednym stała ogromna kamera na kółkach, a armia Umpa-Lump uwijała się wokół niej, pucując drążki, oliwiąc złącza i czyszcząc obiektywy. Wszystkie Umpa-Lumpy ubrane były w jasnoczerwone skafandry kosmiczne — albo coś, co je do złudzenia przypominało — z hełmami i goglami i pracowały w zupełnej ciszy. Charliego coś zaniepokoiło w tym widoku. W całej tej sytuacji czaiła się groza i Umpa-Lumpy dobrze o tym wiedziały. Nie było żadnych chichotów, podśpiewywań, kamera była dotykana ostrożnie i z uwagą.

W drugim kącie, o jakieś pięćdziesiąt stóp od kamery, siedziała za czarnym stołem jedna Umpa-Lumpa (także w kosmicznym skafandrze) i patrzyła na wielki telewizor.

— Oto i ona! — zawołał pan Wonka, podskakując z podniecenia. — Hala Testowa mego wielkiego wynalazku: czekolady telewizyjnej.

— A co to takiego: „czekolada telewizyjna"? — spytał Mike Teavee.

— Przestańże mi wreszcie przeszkadzać, chłopcze! — obruszył się pan Wonka. — Działa w połączeniu z telewizją. Ja sam za nią nie przepadam. Jest może i dobra w małych dawkach, ale dzieci chyba nie potrafią się ograniczyć do małych dawek. Siedzą przez cały dzień przed aparatem i nic, tylko oglądają i oglądają bez...

— To właśnie ja! — nie wytrzymał Mike Teavee.

— Cicho! — ofuknął go ojciec.

— Dziękuję panu — powiedział Wonka. — A teraz wyjaśnię wam, jak działa ten mój cudowny aparat telewizyjny. Ale najpierw pytanie: czy wiecie, jak działa normalny telewizor? To bardzo proste. Na jednym końcu mamy dużą kamerę i coś sobie filmujemy. Te zdjęcia zostają potem rozłożone na miliony maciupeńkich kawałków, tak małych, że dla nas niewidzialnych, które elektryczność wyrzuca w niebo. Tam mkną przed siebie, aż wreszcie trafią na antenę zainstalowaną na dachu czyjegoś domu. Z niej spływają po drucie, który wchodzi od tyłu do telewizora, gdzie zaczynają się przepychać i układać, aż wreszcie ostatni z tych kawałeczków pasuje do reszty i — trach! Na ekranie pojawia się obraz...

— To niedokładnie tak! — sprzeciwił się Mike Teavee.

— Jestem trochę głuchy na lewe ucho — powiedział pan Wonka — musisz mi więc wybaczyć, jeśli nie mogę dosłyszeć wszystkiego, co mówisz.

— Powiedziałem, że to niedokładnie tak! — wrzasnął Mike.

— Miły z ciebie chłopiec, ale za dużo gadasz. Otóż kiedy pierwszy raz zobaczyłem, jak działa telewizja, coś mnie olśniło. „Ej!", krzyknąłem. „Jeśli mogą rozłożyć fotografię na milion cząstek, wystrzelić je w niebo, a potem poskładać je na drugim końcu, to dlaczego ja nie miałbym zrobić tego samego z czekoladą? Maciupeńkie jej kawałeczki wysłać w powietrze, a potem zebrać po drugiej stronie — gotowe do jedzenia".

— To niemożliwe! — oświadczył Mike Teavee.

— Doprawdy? — uśmiech-  nął się pan Wonka. — No to zobacz! Zaraz kawałek mojej najlepszej czekolady prześlę telewizyjnie z jednego końca pokoju na drugi. Gotowi? Przynieść czekoladę!

Natychmiast wmaszerowało sześć Umpa-Lump, które dźwigały największą tabliczkę czekolady, jaką Charlie widział kiedykolwiek. Miała rozmiary materaca, na którym sypiał w domu.

— Musi być taka wielka — objaśnił pan Wonka — bo zawsze podczas transmisji telewizyjnej bardzo się zmniejsza. Nawet w normalnej telewizji, kiedy filmują postawnego mężczyznę, u nas na ekranie nie jest większy od ołówka, prawda? No, dobrze, zaczynamy! Gotowi? Nie, nie, stop! Wstrzymać wszystko! Ty, Mike Teavee! Przesuń się! Stoisz za blisko kamery! Ona wysyła niebezpieczne promienie, które w jednej chwili mogą cię podzielić na milion cząstek. Dlatego Umpa-Lumpy są w kombinezonach kosmicznych! Dla ochrony! Dobrze, już w porządku! Można zaczynać, start!

Jedna z Umpa-Lump chwyciła dużą dźwignię i pociągnęła w dół.

Wszystkich oślepił błysk.

— Nie ma czekolady! — krzyknął dziadek Joe, wymachując ramionami.

I miał rację. Ogromna tabliczka czekolady rozpłynęła się zupełnie gdzieś w powietrzu.

— Teraz jest w drodze! — wołał pan Wonka. — W milionie kawałeczków płynie teraz przez powietrze ponad naszymi głowami. Szybko! Za mną! — Wszyscy rzucili się za nim do rogu, gdzie stał wielki telewizor. — Patrzcie na ekran! Właśnie nadchodzi!

Ekran zamigotał i rozświetlił się, a potem pośrodku ukazał się mały batonik czekoladowy.

— Częstujcie się! — wołał bardzo podniecony pan Wonka.

— Ale jak? — zaśmiał się ironicznie Mike Teavee. — Przecież to tylko obrazek na ekranie!

— Świetnie! Spróbuj ty, Charlie! Sięgnij i weź sobie!

Charlie wyciągnął rękę, a kiedy dotknął ekranu, batonik jakimś cudem znalazł się w jego dłoni. Ze zdumienia omal go nie upuścił.

— Skosztuj! — namawiał pan Wonka. — Posmakuj, zobaczysz, jaka wspaniała czekolada! Ta sama co poprzednio, tylko po drodze się zmniejszyła, to wszystko!

— Absolutnie fantastyczne! — Dziadek Joe nie posiadał się z zachwytu. — To... to... prawdziwy cud!

— Tylko sobie wyobraźcie, co to będzie, jak zacznę stosować tę metodę na wielką skalę! — entuzjazmował się pan Wonka. — Siedzicie sobie w domu, oglądacie telewizję, aż tu nagle pokazuje się reklama i słyszycie: JEDZCIE CZEKOLADKI WONKI! SĄ NAJLEPSZE NA ŚWIECIE! KTO NIE WIERZY, NIECH SAM SPRÓBUJE! A wy tylko wyciągacie rękę i pałaszujecie. No co, czy to nie piękne?

— Genialne! — w zachwycie zgodził się dziadek Joe. — Od tego zmieni się cały świat!

27. Mike Teavee nadany przez telewizję

Mike Teavee był nawet bardziej zbulwersowany widokiem czekolady nadanej telewizyjnie niż dziadek Joe.

Chwycił pana Wonkę za rękaw.

— Proszę pana, a czy może pan tak przesłać także i n n e r z e c z y? Na przykład płatki śniadaniowe?

— Pfuj, cóż to za pomysły! — Pan Wonka aż się wzdrygnął. — Proszę nie wymieniać przy mnie tej nazwy! Czy wiesz, z czego się robi te twoje płatki? Z wiórków, które powstają podczas temperowania ołówków!!!

— No ale gdyby miał pan na to ochotę, mógłby je pan przesłać telewizyjnie, jak czekoladę? — nie ustępował Mike.

— Pewnie, że tak!

— A jak z ludźmi? — dopytywał się Mike. — Czy mógłby pan tak samo z jednego miejsca w drugie przesłać żywą osobę?

— O s o b ę?! — wykrzyknął pan Wonka. — Czyś ty rozum postradał?

— M o ż n a czy nie można?

— Zabiłeś mi ćwieka, chłopcze, naprawdę nie wiem... Przypuszczam, że c h y b a... Nie, jestem pewien, że to dałoby się zrobić, ale... Oczywiście...

Ale ja nigdy bym tego nie zaryzykował... Rezultaty mogą być zupełnie nieoczekiwane...

Ale tych ostatnich słów Mike Teavee już nie słyszał... Ledwie pan Wonka powiedział: „Jestem pewien, że to dałoby się zrobić", obrócił się na pięcie i ruszył pędem do wielkiej kamery, krzycząc po drodze:

— Patrzcie na mnie! Będę pierwszą na świecie osobą transmitowaną przez telewizję!

— Nie! Nie! Nie! — gorączkowo wykrzykiwał pan Wonka.

— Mike! — zapiszczała pani Teavee. — Nie rób tego! Stój! Podzielą cię na milion kawałków!

Ale szalonego chłopaka nic już nie było w stanie powstrzymać. Kiedy znalazł się przy kamerze, bezceremonialnie roztrącił na boki Umpa-Lumpy i mocnym szarpnięciem pociągnął dźwignię w dół, a potem ze słowami: „Do widzenia, ślepa Gienia!" jednym skokiem znalazł się naprzeciw obiektywu.

Wszystkich oślepił błysk, a potem zapadła głucha cisza.

Pani Teavee ruszyła szybko do przodu... ale nagle znieruchomiała w środku pomieszczenia... Osłupiała wpatrywała się w miejsce, gdzie był przed chwilą jej syn... a potem rozdarła się na całe gardło:

— Nie ma!!! Nie ma go!!!

— Wielkie nieba! Nie ma go! — zawtórował jej pan Teavee.

Pan Wonka podskoczył do matki Mike'a i położył jej dłoń na ramieniu.

— Nie można tracić nadziei! Módlmy się, żeby

chłopiec bez żadnego uszczerbku dotarł na drugą stronę.

Pani Teavee zachowała się tak, jakby nie wszystko do niej dotarło. Kilka razy klasnęła w dłonie i zawołała z pretensją w głosie:

— Mike!!! Gdzie jesteś?

— No cóż, powiem pani — mruknął pan Wonka. — W milionie fragmencików frunie nad naszymi głowami.

— Proszę nie wygadywać takich strasznych rzeczy! — zakwiliła pani Teavee.

— Chodźmy do telewizora! — zakomenderował pan Wonka. — Może się tam zjawić każdej chwili.

Cała piątka (państwo Teavee, pan Wonka oraz Charlie i dziadek Joe) zastygła przed telewizorem i wpatrywała się w niego z napięciem. Ekran jednak pozostawał ciemny.

— Jakoś długo to trwa — odezwał się pan Teavee i otarł czoło z potu.

— Ajajaj! — zafrasował się pan Wonka. — Żeby tylko nic z niego nie ubyło po drodze!

— Niechże się pan wyraża jaśniej! — surowo powiedział pan Teavec.

— Nie chcę nikogo martwić na zapas, ale zdarza się niekiedy, że do telewizora dociera tylko połowa tych małych fragmencików. Tak było w zeszłym tygodniu. Nie wiem, z jakiego powodu, ale w telewizorze ukazała się tylko połowa czekoladowego batonika.

Pani Teavee chwyciła się za głowę w geście rozpaczy.

— Więc dostaniemy z powrotem tylko połowę Mike'a?

— Żeby to chociaż była górna połowa — mruknął pan Teavee.

— Cisza! Spokój! Proszę obserwować ekran! — rozkazał pan Wonka. — Coś tam się dzieje!

Ekran zamigotał, pojawiły się na nim faliste linie!

Pan Wonka pokręcił gałkami i linie zniknęły, a ekran zaczął się coraz bardziej rozjaśniać.

— Nadchodzi! — krzyknął pan Wonka. — Wszystko w porządku, to on!

— W całości? — niecierpliwiła się pani Teavee.

— Nie wiem. Za wcześnie, żeby coś powiedzieć na pewno.

Zrazu blady, potem z każdą chwilą coraz wyraźniejszy pojawił się w telewizorze obraz Mike'a. Dziarsko wyprostowany i uśmiechnięty od ucha do ucha machał do widzów.

— Ale to przecież liliput! — zagrzmiał pan Teavee.

— Mike! — załkała matka. — Nic ci nie jest? Niczego ci nie brakuje?

— Nie będzie już ani odrobinę większy? — groźnie dopytywał się pan Teavee.

— Mike, odezwij się! — zawodziła pani Teavee. — Powiedz, że wszystko w porządku!

Z telewizora dobiegł głos tak cieniutki jak pisk myszy.

— Hej, mamo! Hej, tato! Spójrzcie tylko na m n i e! Jestem pierwszą osobą transmitowaną przez telewizję.

— Złap go! Szybko! — polecił ojciec.

Pani Teavee sięgnęła do telewizora i wzięła z niego maciupeńkiego Mike'a.

— Hura! — zawołał pan Wonka. — Zupełnie cały! Nic mu się nie stało!

— Jak to n i c? — oburzyła się pani Teavee wpatrzona w syna, który hasał teraz po jej dłoni, wymachując pistoletem. Miał nie więcej niż cal wysokości.

— S k u r c z y ł s i ę! — oznajmił pan Teavee, wpatrując się w pana Wonkę wzrokiem pełnym pretensji.

— A czego pan się spodziewał? Przecież mówiłem, jak to działa.

— Okropne! — rozpaczała pani Teavee. — I c o my zrobimy?

— Przecież nie możemy go teraz wysłać do szkoły — zauważył pan Teavee — bo go tam rozdepczą. Zmiażdżą!

Pani Teavee załamała ręce.

— N i c teraz nie będzie mógł robić!

— A właśnie, że nie! — zaprotestował cieniutkim głosem Mike. — Nadal będę mógł oglądać telewizję!

— N i g d y!!! — huknął pan Teavee. — Jak tylko

wrócimy do domu, natychmiast wyrzucę telewizor przez okno! Dość już tej całej telewizji!

Słysząc to, Mike Teavee dostał istnego napadu szału. Miotał się wściekle po dłoni matki, krzyczał, usiłował ugryźć ją w palec i na okrągło powtarzał:

— Chcę oglądać telewizję! Chcę oglądać telewizję! Chcę oglądać telewizję! Chcę oglądać telewizję!

— Daj mi go tutaj! — powiedział pan Teavee. Wziął syna od żony, umieścił w butonierce i przykrył chusteczką. Kieszonka trzęsła się i napinała, a wrzaski, chociaż stłumione, dobiegały z niej bez przerwy.

— Panie Wonka — powiedziała błagalnie matka chłopca. — Jak go teraz powiększyć?

— Hmmm — powiedział w zamyśleniu pan Wonka i skubiąc bródkę, zapatrzył się w sufit. — To spory kłopot, muszę przyznać. Całe szczęście, że mali chłopcy są elastyczni i rozciągliwi. Spróbujemy umieścić go w maszynie, która testuje gumy do żucia! Może w ten sposób przywrócimy mu dawne rozmiary.

— Och, dzięki! — zawołała pani Teavee.

— Nie ma za co, droga pani.

— A jak pan sądzi, na ile da się go wyciągnąć? — spytał pan Teavee.

— Kto wie, może i na milę. Kto to wie? Ale stanie się wtedy bardzo chudy. Zawsze tak jest przy rozciąganiu.

— Jak guma do żucia? — upewnił się pan Teavee.

— Właśnie.

— A jak cienki się zrobi?

— Nie mam zielonego pojęcia — odrzekł pan Wonka — ale to najmniejsze zmartwienie, bo zaraz go z powrotem podtuczymy. Trzeba mu będzie tylko dać potrójną dawkę mojej cudownej czekolady superwitaminowej. Jest bardzo bogata w witaminy A i B, zawiera także witaminy C, D, E, F, G, H, I, J, K, L, Ł, N, O, Ó, P, Q, S, T, U, V, X, W, Z, a także — wierzcie mi państwo albo nie wierzcie — witaminy Ź i Ż. Nie ma w niej tylko witaminy M, gdyż od niej dostaje się mdłości, oraz witaminy R, bo od niej wyrastają na głowie rogi. Natomiast zawiera bardzo małą porcję najrzadszej i najwspanialszej ze wszystkich witamin — witaminy Wonki!

— A jaki z t e j pożytek? — spytał pan Teavee.

— Dzięki niej palce u nóg rosną tak długo, aż zrównają się z palcami u rąk...

— O, nie. Tego jeszcze brakowało! — zawołała pani Teavee.

— Proszę nie wygadywać głupstw. To bardzo pożyteczne — odparł pan Wonka. — Na fortepianie można grać także nogami.

— Ależ, panie Wonka...

— Dość tego, p r o s z ę! — Pan Wonka przerwał matce Mike'a i po trzykroć pstryknął palcami. Umpa-Lumpa natychmiast pojawiła się u jego boku. — Postępujcie zgodnie z tą instrukcją — powiedział, wręczając kawałek papieru, na którym wypisał polecenia. — Chłopiec jest w przedniej kieszonce marynarki ojca. I do dzieła! Do widzenia, pani Teavee! Do widzenia, panie Teavee! I pozbądź-

cie się państwo tych ponurych min! Tak, tak, wszyscy do nas wrócą i to już niebawem...

Tymczasem Umpa-Lumpy zgromadzone przy kamerze już zaczęły uderzać w małe bębenki i zabierać się do śpiewu.

— No i znowu zaczynają! — powiedział pan Wonka i pokręcił głową. — Od śpiewania chyba nic ich nie powstrzyma.

Charlie chwycił dziadka za rękę i tak stojąc obok pana Wonki w jasno oświetlonej hali, wysłuchali następnej przyśpiewki Umpa-Lump.

Ze wszystkich najważniejsze rzeczy,
Przynajmniej co się tyczy dzieci,
Są, by im nigdy, NIGDY, NIGDY,
TV okrutnej nie czynić krzywdy:
I nie pozwolić, by dzień cały
Przed aparatem przesiedziały.
A bardzo częsty to obrazek,
Gdy taki mały niedojrzałek
Tak się zagapi, zauroczy,
Że mu się wyłupiają oczy.
(W znanym nam domu przy regale
Tuzin leżało ocznych gałek).
Ślęczą tak, łypią, łypią, ślęczą,
Aż im się mózgi całkiem skręcą
W supełek jeden, ale ciasny,
Gdzie nie ma jednej myśli własnej.
Nie wyjdą nigdy pograć w piłkę
Ani zabawić się choć chwilkę,
Nic nie pomogą przy obiedzie
Ani choć naczyń pełno w zlewie,

Nie kiwną nawet palcem małym.
Czyście się jednak namyślali,
Co też się dzieje w takiej głowie?
To posłuchajcie, co wam powiem.
TV WRAŻLIWOŚĆ ICH MORDUJE!
TV POJĘTNOŚĆ STALE PSUJE!
UMYSŁ ZAŚMIECA I PLUGAWI!
NIEDŁUGO CZEKAĆ, ZANIM SPRAWI,
ŻE SIĘ KRAINA WRÓŻEK, BAŚNI
ANI SPODOBA, ANI PRZYŚNI.
SPRAWA MYŚLENIA NIE JEST WAŻNA,
TYLKO SIĘ JESZCZE GAPIĆ MOŻNA!
„No dobrze", może ktoś zapyta,
„w porządku, z telewizją kwita,
czym jednak wtedy nasze dziatki
rozerwać? Oto jest zagadka".
Odpowiedź wcale nie jest trudna:
„A cóż to, jeśli spytać można,
Bawiło dzieci mądrze, zdrowo,
Zanim powstało monstrum owo?"
Nie pamiętacie? Tam do kata!
Przypominamy głośno zatem:
Ni mniej, ni więcej jak CZYTAŁY
I po następną rzecz sięgały,
Jak tylko pierwszą dokończyły.
Na książkach czas swój tak trawiły,
Że pełno było ich dokoła
W każdym pokoju, kącie zgoła,
Czy to sypialnia czy bawialnia,
Salonik czy — dalibóg! — pralnia.
A w książkach przecudowne bajki
O kwiecie niezapominajki,

Smokach, królewnach, wielorybach,
Rozbitych lustrach, mądrych grzybach,
Domku z piernika, czarownicach,
Dywanach śmigłych, złych mulicach,
Czarnych łabędziach, mądrych słoniach,
Słowiku i skrzydlatych koniach.
Ach, Kaczor Donald, Myszka Miki,
Kubuś Puchatek, wilczur dziki,
co pożarł babcię i Kapturka,
Kopciuszek i macochy córka,
Biedna sierotka z zapałkami —
Tak, tak, widzicie oto sami,
Jakież to książki dzieci znały,
W tych czasach, kiedy się czytało!
Prosimy, wręcz błagamy zatem,
Rozstańcież się z tym wstrętnym gratem,
A w jego miejsce wstawcie sami
Gustowny regał z książeczkami,
Nie jeden regał, dwa regały,
Trzy, cztery, a choćby was czekały
Ze strony pociech złorzeczenia,
Gniewne pomruki, złe spojrzenia,
Nawet tupania, wrzaski, krzyki —
Nie traćcie ducha, bowiem smyki,
Za dwa, najdalej trzy tygodnie,
Kiedy do głowy im nie wpadnie
Żadna idea, jak czas spędzać,
Zaczną, na próbę zrazu, czytać,
A gdy już zaczną, to bez końca!
Od wschodu do zachodu słońca
Tak ciągnąć będzie ich do książki,
Że wręcz okropnie jakiś gorzki

Los tele-gapia im się wyda.
Na ekran spojrzą: „Ta ohyda
Czym prędzej niechaj z oczu zniknie!"
Każde zawoła. I przepięknie
Wam za przysługę podziękują,
Albowiem wdzięczność taką czują.
Co zaś się tyczy Teavee Mike'a,
Cóż, przykro nam, że rozciągarka
Ciut go za bardzo wydłużyła.
Tak czasem bywa. Przedobrzyła.
Coś się naprawić może uda.
Wierzmy. Wszak wiara czyni cuda.

28. Został tylko Charlie

— Dokąd teraz? — sam sobie zadał pytanie pan Wonka, kierując się do windy. — Szybko! Nie ma c z a s u! Ile to nam dzieci jeszcze zostało?

Mały Charlie spojrzał na dziadka Joe, a dziadek Joe odpowiedział mu spojrzeniem i rzekł niepewnie:

— Ale... Widzi pan, został tylko Charlie.

Pan Wonka zatrzymał się w pół kroku, obrócił na pięcie i wpatrzył w Charliego.

Trwała cisza, wnuczek mocno wczepił się w dłoń dziadka.

— Nie ma już n i k o g o więcej? — upewnił się pan Wonka, wyglądając na zdziwionego.

— Nie — bąknął chłopiec.

Pan Wonka podskoczył rozentuzjazmowany.

— K o c h a n y chłopcze! — nagle wykrzyknął podniecony. — Przecież to znaczy, że w y g r a ł e ś! — Podbiegł do Charliego i zaczął potrząsać jego dłonią z takim zapałem, iż omal jej nie urwał. — Serdeczne gratulacje! Jak najgorętsze! Bardzo się cieszę, naprawdę. Muszę wyznać, że od samego początku coś mi się tak wydawało, że to będziesz ty. Ś w i e t n a robota, Charlie, bez dwóch zdań! Dopiero teraz zacznie się prawdziwa zabawa, ale musimy się spieszyć. Teraz mamy jeszcze mniej czasu niż przedtem, bo musimy zrobić m n ó s t w o rzeczy, zanim dzień dobiegnie końca! Tyle s p r a w

do załatwienia! Tyloma osobami trzeba się zająć! Jakież to jednak szczęście, że mamy tę wielką szklaną windę. Wskakuj do środka, Charlie! I pan także, dziadku Joe! Nie, nie, pan p r z o d e m! Tak, proszę, wsiadamy! Teraz to j a wybiorę guzik!

Roziskrzone oczy pana Wonki zatrzymały się na chwilę na twarzy Charliego.

Chłopiec pomyślał, że zaraz stanie się coś szalonego, ale nie bał się ani trochę. Nie czuł zdenerwowania, tylko podniecenie. Tak samo było z dziadkiem, który zafascynowanym wzrokiem śledził każdy ruch pana Wonki. Ten zaś sięgnął do przycisku w szklanym suficie windy. Dziadek i wnuczek zadarli głowy, aby odczytać, co jest napisane obok guzika.

A było napisane: W GÓRĘ I JESZCZE DALEJ.

„W górę i jeszcze dalej?", stropił się Charlie. „O jaką to może chodzić halę?"

Pan Wonka wcisnął guzik.

Szklane drzwi zamknęły się.

— Trzymajcie się! — polecił pan Wonka i w tej samej chwili winda wystartowała jak rakieta.

— Juhuuu! — krzyknął dziadek Joe.

Charlie przywarł do jego nogi, pan Wonka trzymał się rączki, a winda mknęła prosto w górę, tym razem bez żadnych skrętów czy wiraży. I tylko świst powietrza był coraz głośniejszy, gdy kabina zwiększała prędkość.

— Juhuuu! — wołał dziadek. — Ale jazda!

— Szybciej! Szybciej! — wtórował mu pan Wonka i stukał pięścią w szklaną ściankę. — Jak nie będziemy mieć odpowiedniej prędkości, to się nie przebijemy.

— Przez co? — spytał podniecony dziadek Joe. — Przez co mamy się przebić?

— Poczekajcie, a sami zobaczycie! Od lat marzyłem o tym, żeby nacisnąć ten guzik. Nigdy dotąd tego nie zrobiłem, chociaż pokusa była straszna! Ależ mnie korciło! Z drugiej jednak strony nie chciałem robić wielkiej dziury w dachu fabryki! Ale teraz — stało się! W górę i jeszcze dalej!

— Zaraz... — Dziadek Joe aż się zakrztusił z wrażenia. — Przecież chyba ta winda n i e...

— Właśnie, że tak! — nie dał mu dokończyć pan Wonka. — Tylko poczekajcie! W górę i jeszcze dalej!

— Ale... ale... ale ona jest zrobiona ze szkła! Rozbije się na kawałeczki — krzyknął dziadek Joe.

— Może i tak — odparł spokojnie pan Wonka. — Z drugiej strony to naprawdę grube szkło.

A winda przyspieszała coraz bardziej i mknęła... mknęła... mknęła... coraz szybciej... szybciej... szybciej...

I wreszcie BUUUM! Nad ich głowami rozległ się rozdzierający trzask łamanego drewna i brzęk tłukącego się szkła, dziadek Joe zaś krzyknął:

— To koniec!!! Już po nas!

— Wcale nie! — zaprotestował pan Wonka. — Przebiliśmy się i lecimy dalej.

Istotnie. Winda rozbiwszy dach fabryki, leciała teraz w niebo, a światło słoneczne wlewało się przez dach do wnętrza kabiny. Starczyło pięć sekund, a byli już dobre tysiąc stóp nad ziemią.

— Ta winda oszalała! — zawyrokował dziadek Joe.

— Proszę się niczego nie obawiać — uspokajał pan Wonka i nacisnął inny guzik.

Winda znieruchomiała. Lekko kołysząc się w powietrzu, zawisła niczym helikopter nad fabryką i miastem, które rozpościerało się w dole niewielkie jak na pocztówce! Patrząc w szklaną podłogę, Charlie widział malutkie domki i grubą pokrywę

śniegu na ulicach. Cóż to było za wspaniałe, cudowne, ale i trochę przerażające uczucie, przez taflę szklaną oglądać z nieba ziemię. Zupełnie jakby się wisiało w powietrzu bez niczego pod nogami.

— Już po wszystkim? — W głosie dziadka Joe słychać było niedowierzanie. — Jak to wytrzymało?

— Cukier krzepi! — krzyknął pan Wonka. — Oto i najznakomitszy cukier kryształ mojego wyrobu! Ale zaraz, popatrzcie! Tamte dzieci wracają do domu!

29. Pozostałe dzieci wracają do domu

— M u s i m y zjechać trochę w dół, żebyśmy mogli się przyjrzeć naszym małym przyjaciołom — oznajmił pan Wonka. Wybrał odpowiedni guzik i po chwili winda zawisła nad wejściem do fabryki.

Przez szkło podłogi Charlie widział grupkę rodziców i dzieci stojącą pod samą bramą.

— Widzę tylko troje — powiedział. — Kogo brakuje?

— Pewnie Mike'a Teavee, ale i on zaraz do nich dołączy. Widzisz te ciężarówki?

Pan Wonka wskazał stojące w rzędzie wielkie samochody.

— Tak, co o n e tam robią?

— A nie pamiętasz, co zapowiadał Złoty Talon? Każde dziecko do końca życia ma zapewnioną dostawę słodyczy. Każda ciężarówka jest załadowana aż po dach. A oto i nasz przyjaciel Augustus Gloop! Widzicie go? — Pan Wonka zatarł ręce. — Razem z rodzicami wsiada do pierwszego wozu.

— Naprawdę nic mu się nie stało? — spytał zdziwiony Charlie. — Nic mu ta rura nie zrobiła?

— Czuje się znakomicie — zapewnił pan Wonka.

— Ale zmienił się! — zauważył dziadek Joe. — Taki był z niego grubas, a teraz jest chudy jak patyk.

— Oczywiście, że się zmienił — rzekł ze śmiechem pan Wonka. — W rurze go trochę wycisnęło,

nie pamiętacie? Proszę, proszę, oto i nasza miłoś-
niczka gumy do żucia, panna Violet Beauregarde!
Wygląda na to, że udało im się ją odsączyć. Bardzo
się cieszę. Wygląda o wiele lepiej niż poprzednio,
prawda? Znacznie lepiej!

— Ale na twarzy jest fioletowa! — zawołał dziadek.

— Istotnie, jednak na to nic już nie poradzimy.

— O rany! — Charlie aż podskoczył z wrażenia. — Biedna Veruca i państwo Salt! Cali
w śmieciach!

— Jest i Mike Teavee! — powiedział dziadek

Joe. — Co oni z nim zrobili? Ma chyba z dziesięć stóp wzrostu, ale jaki jest chudy!

— Trochę za bardzo go rozciągnęli — mruknął pan Wonka. — Ktoś czegoś nie dopatrzył.

— To straszne! — krzyknął Charlie.

— Nonsens! — obruszył się pan Wonka. — Prawdziwy szczęściarz z niego. Wszystkie drużyny koszykówki w kraju będą się o niego bić! Ale dajmy już sobie z nimi spokój, bo muszę z tobą poważnie porozmawiać, drogi Charlie.

Pan Wonka przycisnął guzik i winda znowu wzbiła się w niebo.

30. Fabryka czekolady Charliego

Wielka szklana winda ponownie zawisła nad miastem, a w niej stali pan Wonka, dziadek Joe i mały Charlie.

— Jakżeż ja kocham tę moją fabrykę czekolady — odezwał się pan Wonka, spoglądając w dół. Po chwili rozejrzał się dookoła i bardzo poważnie wpatrzył się w Charliego. — Czy i ty ją kochasz, chłopcze?

— Och, tak — zawołał chłopiec. — To chyba najwspanialsze miejsce na świecie!

— Ogromnie się cieszę, że tak mówisz — powiedział pan Wonka i jeszcze bardziej spoważniał. Nie przestawał wpatrywać się w chłopca. — Doprawdy bardzo się cieszę. I zaraz ci wyjaśnię dlaczego. — Pan Wonka swoim zwyczajem przechylił głowę w bok, a w kącikach oczu pojawiły się zmarszczki uśmiechu. — Widzisz, drogi chłopcze, postanowiłem ci sprezentować całe to miejsce. Kiedy tylko osiągniesz odpowiedni wiek, fabryka przejdzie na twoją własność.

Charlie wpatrywał się w pana Wonkę okrągłymi ze zdziwienia oczyma, a dziadek Joe otworzył szeroko usta, ale nie mógł wykrztusić ani słowa.

— Mówię serio. — Twarz pana Wonki rozpłynęła się w szerokim uśmiechu. — Naprawdę daję ci ją w podarunku. Chyba nie masz nic przeciw temu?

— W p o d a r u n k u? — wydusił z siebie dziadek Joe. — Raczy pan żartować.

— Bynajmniej. Mówię jak najbardziej poważnie.

— Ale... Ale dlaczego miałby pan to zrobić?

— Proszę posłuchać — rzekł pan Wonka. — Jestem już starym człowiekiem, o wiele starszym, niż może pan sobie wyobrazić. Nie dam już rady prowadzić fabryki. Nie mam dzieci, w ogóle żadnej rodziny. I kto zajmie się fabryką, skoro ja już tego nie mogę robić? A k t o ś musi się zająć — trzeba pamiętać chociażby o Umpa-Lumpach. Oczywiście, są tysiące osób, które wiele dałyby za to, aby położyć swoją łapę na fabryce, muszę więc być bardzo ostrożny. Zresztą doszedłem do wniosku, że to nie może być nikt dorosły. Dorośli są zbyt uparci, zawsze chcą postawić na swoim, w ogóle nie będą mnie słuchać. Dlatego to musi być dziecko. Dobre, wrażliwe dziecko, któremu będę mógł przekazać sekrety moich słodyczy — dopóki jeszcze żyję.

— I to d l a t e g o umieścił pan w czekoladach Złote Talony? — spytał Charlie.

— Dlatego! Postanowiłem zaprosić do fabryki pięcioro dzieci, żeby najlepsze z nich wygrało i kiedyś stało się jej właścicielem!

— Ale... Tylko... — Dziadkowi Joe wyraźnie plątał się język. — Na-naprawdę całą tę wielką fabrykę chce pan przekazać Charliemu?

— Dość już tej paplaniny! — uciął pan Wonka. — Ile razy mam powtarzać? Teraz trzeba jak najszybciej zebrać resztę rodziny: mamę, tatę i kto tam jeszcze jest! Odtąd wszyscy mogą mieszkać w fabryce! I wszyscy mogą pomagać Charliemu w jej prowadzeniu do czasu, gdy dorośnie na tyle, że sam będzie mógł to robić! Gdzie twój dom, Charlie?

Charlie zaczął szukać pośród małych domków przycupniętych w śniegu, aż wreszcie wskazał palcem w dół.

— Ten mały budyneczek na skraju miasta, o, tam...

— Widzę! — zawołał pan Wonka, nacisnął jeden po drugim dwa guziki i winda pomknęła w kierunku domu Charliego.

Chłopiec nagle posmutniał.

— Boję się, że mama nie będzie mogła zabrać się z nami.

— Dlaczego?

— Nie zostawi babci Josephine, babci Georginy i dziadka George'a.

— Przeniosą się razem z resztą.

— Nie mogą — odparł Charlie. — Są tak starzy, że od dwudziestu lat nie ruszyli się z łóżka.

— To weźmiemy ich razem z łóżkiem. Wystarczy tu miejsca także i na łóżko.

— Ale nie da się go wynieść z domu — oznajmił dziadek Joe. — Drzwi są za wąskie.

— Przestańcie wreszcie wyszukiwać trudności! — obruszył się pan Wonka. — Nie ma rzeczy niemożliwych! Sami się przekonacie!

Winda zawisła nad dachem domku Charliego.

— I co dalej? — spytał płaczliwie Charlie.

— Zaraz wszystkich zabierzemy — powiedział pan Wonka.

— Ale jak? — dociekał dziadek Joe.

— Przez dach.

Palce pana Wonki znowu zatańczyły po guzikach.

— Nie! — krzyknął Charlie.

— Stop!!! — krzyknął dziadek.

Ale nic już nie mogli poradzić na to, że z wielkim hukiem i trzaskiem winda przez dach wjechała do sypialni. Lawina kurzu, odłamków cegieł i drewna, a także zaskoczonych karaluchów i pająków zwaliła się na troje leżących w łóżku staruszków, a każde z nich było przekonane, że to już koniec świata. Babcia Georgina zasłabła, babci Josephine wypadła z ust sztuczna szczęka, dziadek George schował się pod kołdrę, a rodzice Charliego wpadli przerażeni do pokoju.

— Ratunkuuu! — rozległ się słabiutki głos babci Josephine.

— Spokojnie, moja droga żono — powiedział dziadek Joe, wysiadając z windy. — To tylko my.

Charlie rzucił się w ramiona pani Bucket.

— Mamo! — zawołał. — Mamo! Posłuchaj tylko, co się stało! Przenosimy się do fabryki pana Wonki i musimy mu pomóc prowadzić ją, i w ogóle c a ł ą ją podarował mi, i... i... i...

Pani Bucket zmarszczyła brwi.

— Co t y wygadujesz?

— A co się stało z naszym domem?! — surowo powiedział pan Bucket. — Wszystko zrujnowane!

— Szanowny panie! — Pan Wonka podszedł do ojca Charliego i chwycił jego dłoń. — Bardzo mi miło pana poznać. Proszę się nie martwić o dom. Odtąd nie będzie już państwu potrzebny.

— Co to za w a r i a t?! — zapiszczała babcia Josephine. — Mógł nas wszystkich pozabijać.

— To pan Willy Wonka we własnej osobie — oznajmił z dumą dziadek Joe.

Trochę to potrwało, zanim dziadkowi i Charliemu udało się opowiedzieć o wszystkim, co się wydarzyło tego dnia. Ale i wtedy trójka staruszków ani myślała się ruszyć do fabryki, i to w dodatku w windzie!

— Wolę już umrzeć we własnym łóżku! — zawołała babcia Josephine.

— Ja także! — poparła ją babcia Georgina.

— Nigdzie się nie przenoszę! — stanowczo oznajmił dziadek George.

Nic więc innego nie pozostało panu Wonce, dziadkowi Joe i Charliemu, jak tylko wepchnąć do windy łóżko z trojgiem jego lokatorów, a potem to samo zrobić z rodzicami Charliego. Kiedy wszyscy już byli w środku, pan Wonka wybrał odpowiedni przycisk i drzwi cicho się zamknęły. Babcia Georgina omal się nie udławiła z przerażenia, gdy winda przez dziurę w dachu wystartowała prosto w niebo.

Charlie przysiadł na brzegu łóżka i zaczął uspokajać trójkę dziadków, nadal znieruchomiałych z przerażenia.

— Nie bójcie się, naprawdę. Nic nam się nie stanie, a zobaczycie, że to najwspanialsze miejsce na świecie!

— Ma rację! — zdecydowanie poparł wnuka dziadek Joe.

— A będzie tam coś do zjedzenia? — nieśmiało

spytała babcia Josephine. — Wszyscy umieramy z głodu, cała rodzina!

— Coś do z j e d z e n i a? — powtórzył Charlie i roześmiał się na całe gardło. — Poczekaj, babciu, a sama zobaczysz!

Spis treści

ROALD DAHL

URODZONY   Llandaff, Walia, 1916

SZKOŁY   Llandaff, Cathedral School, St Peter's, Repton

ZAJĘCIA   przedstawiciel Shell Oil Company na wschodnią Afrykę, pilot myśliwca RAF-u w czasie drugiej wojny światowej, attaché lotniczy, pisarz

Charlie i fabryka czekolady była jedną z tych książek, które sprawiały Roaldowi Dahlowi najwięcej trudności podczas pisania. W pierwszej wersji występowało piętnaścioro okropnych dzieciaków. Kiedy jednak Dahl dał ją do przeczytania swemu siostrzeńcowi Nicholasowi, a ten uznał, że tekst jest nudny, trzeba go było napisać od nowa!

Pomysł książki sięga jeszcze lat szkolnych Roalda Dahla, kiedy od czasu do czasu on i jego szkolni koledzy byli proszeni o opinię na temat przygotowywanych nowych czekoladek. Roald Dahl marzył wtedy, że kiedyś jemu samemu uda się wymyślić taką czekoladę, którą zachwyci się sam pan Cadbury.

Roald Dahl zmarł w 1990 roku w wieku siedemdziesięciu czterech lat.

Oto jego życiowe motto:

Moja świeca z dwóch końców płonie,
Nie przetrwa nocy, za krótki knot,
Lecz przyjaciołom i wrogom moim
Nim się wypali, da światła moc.

Więcej informacji o Roaldzie Dahlu znajdziesz na stronie
www.roalddahl.com